2026
年度版

教員採用試験

中高保健体育
らくらくマスター

資格試験研究会 編

JN078702

実務教育出版

本書の特長と活用法

　本書は，教員採用試験で出題される「中高保健体育」をマスターするための要点チェック本である。本書1冊で「中高保健体育」の学習がひととおり進められるように構成されている。また，予備知識がなくても理解できるように工夫されているので，短期間での試験対策が可能である。

本書の活用法

1．頻出度

　各テーマの頻出度を，A〜Cの3段階で示す。

A：非常によく出題される　　　B：よく出題される

C：出題頻度は高くないが出題される

2．ここが出る！

　各テーマ内で，どのような内容や形式が出題されているかを具体的に示す。また，特に押さえておくべき事項などについても触れている。

3．重要語句

　最も重要な語句・覚えるべき事項は赤字になっている。付属の暗記用赤シートで赤字を隠すことにより，空欄補充問題を解いているような感覚で暗記することができる。また，次に重要な語句は黒の太字で示されているので，こちらもしっかり押さえよう。

4．ストップウォッチアイコンをスピード学習に役立てよう！

　重要度の高い項目として，全体の2割ぐらいの項目を選び，⏱のアイコンを付けてある。⏱の付いた項目を覚えていけば，学習時間の大幅な短縮も夢ではないだろう。特に本番の試験までもう時間がなくて「困った！」というような場合に活用しよう。

◇まずは暗記しよう！

　教員採用試験では，択一式，一問一答，空欄補充，○×式，論述など，さまざまな出題形式が見られるが，中でも空欄補充形式の問題がかなり出題される。また，ひねった問題は少ないので，基本事項をしっかり押さえることで問題を解く力は十分につく。まずは要点を暗記しよう。

ここが出る! ▶▶

- バドミントンのシャトルの飛ばし方（フライト）のうち，主要なものを押さえよう。片仮名の名称を書かせる問題が多い。
- フォルト（違反）となるのは，どのような場合か。選択肢を提示して，選ばせる問題がよく出る。

1 バドミントンの技能

● フライト

□【 ハイクリアー 】…相手コートの奥まで届く高い打球。

□【 ドロップ 】…相手コートのネット付近に落とす打球。

□【 スマッシュ 】…高い位置から力いっぱい打ちこむ。

□【 ドライブ 】…床と平行にシャトルを飛ばす。

□【 プッシュ 】…ネット際のシャトルをスイングなしで押し込む。

□【 ヘアピン 】…ネット際のシャトルを相手のネット際に落とす。

● ストローク

□【 オーバーヘッドストローク 】…高く上がったシャトルを高い位置でとらえ，前方に振りおろす。

□【 サイドアームストローク 】…低い位置に落ちてきたシャトルを横手打ちする。ラケットは水平に振る。

● サービス

□【 ロングハイサービス 】…高く打ち上げ，相手コートの最後部まで届くようなサービス。

□【 ショートサービス 】…ネットすれすれで，ショートサービスラインあたりに落とすサービス。

□【 フリックサービス 】…相手の頭上のそれほど高くない位置を通過させるサービス。

2 バドミントンのルール

● ゲーム

□サービス権の有無に関係なく，ラリーに勝った側の得点となる。

□ゲームは3ゲームを行う。2ゲーム先取した側が勝者となる。

◇試験直前ファイナルチェックと実力確認問題で力を試そう！

「試験直前ファイナルチェック」として，各領域の終わりには，全問○×形式の問題を設けてある。本番の試験で合格するために必要な知識の理解度をもう一度確認しておこう。

「実力確認問題」は，教員採用試験の問題と同形式のオリジナル問題である。ひととおり暗記したら，自分の知識がどのくらい定着したかを確かめるためにトライしてみよう。解けない問題があれば，問題文の最後に参照テーマが書いてあるので，そこへ戻ってもう一度復習しよう。

出題傾向と対策

　保健体育の内容は多岐にわたるが，本書では，学習指導要領，体育，および保健という章立てを設けている。それぞれについて，試験でよく出題される事項と，対策のポイントについて述べてみよう。

【学習指導要領】

　教科の**目標**の空欄補充問題がよく出る。教科としての保健体育科は，どのようなことを目標とするか。「運動や健康・安全についての理解」，「健康の保持増進のための実践力の育成」，「スポーツライフ」など，重要事項が盛りだくさんである。本書に備え付けの赤シートを利用して，原文の重要箇所をしっかり暗記しよう。

　また，教科の**内容構成**も要注意。保健体育科は，体育と保健からなるが，中学校の体育分野の内容は8領域，保健分野の内容は4項目から構成される。高等学校の場合，科目「体育」は8領域，「保健」は4項目の内容を含んでいる。これらの事項をまとめた表の空欄補充問題が試験によく出るので対応できるようにしよう。加えて，それぞれの領域（項目）に配当する授業時数についてもよく問われる。中学校の保健分野の授業時数は48単位時間程度など，細かい数字が出てくる。覚えよう。

【体育】

　中学校と高等学校の体育は，「A 体つくり運動」，「B 器械運動」，「C 陸上競技」，「D 水泳」，「E 球技」，「F 武道」，「G ダンス」，「H 体育理論」，という内容領域からなる。これらの各領域の下には，内容の下位項目が設けられている。たとえば，Eの球技は，ア）ゴール型，イ）ネット型，ウ）ベースボール型，という3つの項目を含んでいる。まずは，このような**内容の系統**を押さえる必要がある。

　なお生徒は，こうした広範に及ぶ内容のすべてを履修するのではない。中学校3年生の場合，「B，C，D，Gから①以上選択」，Eについては，先ほど例示した「ア〜ウから②選択」など，**選択履修**に関する定めがあ

る。高等学校になると，選択履修の比重はさらに大きくなる。試験では，体育分野の選択履修に関する文章の正誤判定問題（○×式）がよく出題される。学習指導要領の該当箇所を繰り返し読んでおこう。

　次に，実技についてである。上記のA～G（運動に関する領域）の中で，出題頻度が比較的高いのは，陸上競技，球技，および武道である。授業で取り上げることとされている種目のルールを押さえよう。短距離走のスタートの種類，走り幅跳びの計測の仕方，走り高跳びの無効試技，サッカーのオフサイド，バレーボールのラリーポイント制，ソフトボールのタイブレーク，柔道や剣道の勝敗決めのルールなど，覚えるべき事項は数多い。学習指導要領解説で例示されている，学年段階ごとの**動き**も要注意である。各段階のものを識別させる問題が出る。他の領域についても同様である。対応できるようにしよう。

　知識の領域である「H 体育理論」では，**運動生理学**や**トレーニング**理論についてよく問われる。ATP，エネルギー代謝率，レミニッセンスなど，小難しい用語が出てくるが，諸君が学校現場でスポーツ指導をするようになった時，こうした知識は必ず役に立つ。本腰を入れて学習しよう。それと，**スポーツ時事**も落とせない。スポーツ基本法やオリンピックの基礎知識は押さえておきたい。

【保健】

　人々の健康を蝕む各種の**疾病**についてよく問われる。3大生活習慣病，主な感染症，ならびにエイズに関する正しい知識を得ておこう。病名と症状を結びつけさせる問題のほか，寿命や死因などの統計の問題が出ることもある。また，**心身の発達**に関連する事項も頻出。スキャモンの発達曲線を読み取らせたり，思春期における心身の変化について論述させたりするなど，高度な問題も散見される。後者においては，性徴や反抗期といった重要概念を正しく援用した解答が求められる。

　応急手当の問題もよく出る。心肺蘇生法の手順のほか，人工呼吸や胸骨圧迫の要領を述べた文章の正誤判定問題が多い。RICE の原則や熱中症への対処法も要注意。応急手当を扱う際は実習を行うなど，学習指導要領の規定事項にも目配りしておく必要がある。

目次

本書の特長と活用法　2
出題傾向と対策　4

学習指導要領 ……………………………………………… 9

1　教科の目標と内容（中学校）　10

2　教科の目標と内容（高等学校）　14

3　学習指導要領総則の関連事項　16

学習指導要領　試験直前ファイナルチェック　18

体育 …………………………………………………… 19

4　体育の目標と内容（中学校）　20

5　体育の目標と内容（高等学校）　22

6　体つくり運動の内容　24

7　器械運動の内容　28

8　マット運動　32

9　鉄棒運動　34

10　平均台運動　36

11　跳び箱運動　38

12　陸上競技の内容　40

13　短距離走・リレー　44

14　長距離走　46

15　ハードル走　48

16　走り幅跳び　50

17　走り高跳び　52

18　三段跳び　54

19　砲丸投げ　56

20　やり投げ・混成競技　58

21　水泳の内容　60

22　クロール　64

23　平泳ぎ　66

24　背泳ぎ　68

25　バタフライ　70

26　スタート・ターン　72

27　安全管理・事故防止　74

28　複数の泳法と水泳のルール　76

29　球技の内容　78

30　ゴール型の動きの例　82

31　ネット型の動きの例　84

32　ベースボール型の動きの例　86

33　バスケットボール　88

34　ハンドボール　90

35　サッカー　92

36　ラグビー　94

37　バレーボール　96

38 卓球　98

39 テニス　100

40 バドミントン　102

41 ソフトボール　104

42 競技場，歴史的事項　106

43 武道の内容　110

44 柔道　114

45 剣道　118

46 ダンスの内容　122

47 創作ダンス　126

48 フォークダンス　128

49 現代的なリズムのダンス　130

50 体育理論の内容　132

51 文化としてのスポーツ　136

52 新体力テスト　138

53 運動生理学　142

54 トレーニング　144

55 運動技能と運動処方　146

56 全国体力・運動能力，運動習慣等調査　148

57 スポーツの振興施策　150

58 オリンピック　152

59 部活動改革　154

60 体育分野の内容の取扱い（中学校）　156

61 体育分野の内容の取扱い（高等学校）　158

体育　試験直前ファイナルチェック　160

保健 ·· 165

62 保健の目標と内容（中学校） 166
63 保健の目標と内容（高等学校） 168
64 健康と生活習慣病 170
65 薬物乱用・医薬品 174
66 感染症 176
67 精神の健康 178
68 欲求と適応機制 180
69 交通安全 182
70 応急手当 184
71 学校体育での事故防止 188

72 体の発育・発達と性 190
73 エイジングと医療 194
74 労働と健康 196
75 環境と健康 198
76 環境と食品の保健 202
77 保健の内容の取扱い（中学校） 204
78 保健の内容の取扱い（高等学校） 206

保健 試験直前ファイナルチェック 208

実力確認問題 211

学習指導
要領

教科の目標と内容（中学校）

頻出度 **A**

ここが出る! ▶▶
- 教科の目標について定めた，新学習指導要領の原文の空欄補充問題が予想される。「スポーツライフ」などの用語に注意のこと。
- 保健体育科の内容の構成を押さえよう。体育分野と保健分野に割り当てる授業時数も知っておこう。

1 中学校の保健体育科の目標

　中学校新学習指導要領では，以下のように定められている。学習指導要領解説の補説もよく出る。

●目標

> 　体育や保健の見方・考え方を働かせ，課題を発見し，合理的な解決に向けた学習過程を通して，心と体を一体として捉え，生涯にわたって心身の健康を保持増進し豊かなスポーツライフを実現するための資質・能力を次のとおり育成することを目指す。
> □各種の運動の特性に応じた技能等及び個人生活における健康・安全について理解するとともに，基本的な技能を身に付けるようにする。
> □運動や健康についての自他の課題を発見し，合理的な解決に向けて思考し判断するとともに，他者に伝える力を養う。
> □生涯にわたって運動に親しむとともに健康の保持増進と体力の向上を目指し，明るく豊かな生活を営む態度を養う。

●目標についての補説

□この目標は，「知識及び技能」，「思考力，判断力，表現力等」，「学びに向かう力，人間性等」を育成することを目指すとともに，生涯にわたって心身の健康を保持増進し豊かなスポーツライフを実現することを目指すものである。

□この目標を達成するためには，運動する子供とそうでない子供の二極化傾向❶が見られることや社会の変化に伴う新たな健康課題に対応した教育が必要との指摘を踏まえ，引き続き，心と体をより一体として

❶中学校2年生女子では，1週間の運動時間が420分以上の者が55.9%である一方で，60分未満も25.1%いる（「全国体力・運動能力，運動習慣等調査」2023年度）。

捉え，健全な心身の発達を促すことが求められることから，体育と保健を一層関連させて指導することが重要である。

● 体育や保健の見方・考え方

□ 体育の見方・考え方については，生涯にわたる豊かな**スポーツライフ**を実現する観点を踏まえ，「運動やスポーツを，その**価値**や特性に着目して，楽しさや喜びとともに**体力**の向上に果たす役割の視点から捉え，自己の適性等に応じた『**する・みる・支える・知る**』の多様な関わり方と関連付けること」であると考えられる。

□ 保健の見方・考え方については，疾病や**傷害**を防止するとともに，生活の質や**生きがい**を重視した健康に関する観点を踏まえ，「個人及び社会生活における課題や情報を，健康や**安全**に関する原則や概念に着目して捉え，**疾病**等のリスクの軽減や生活の質の向上，健康を支える環境づくりと関連付けること」であると考えられる。

● 豊かなスポーツライフを実現するための資質・能力

□ 生涯にわたって豊かなスポーツライフを実現するための資質・能力とは，体育を通して培う包括的な目標を示したものである。この資質・能力とは，それぞれの運動が有する特性や魅力に応じて，その楽しさや喜びを味わおうとする自主的な態度，公正に取り組む，互いに**協力**する，自己の責任を果たす，参画する，一人一人の違いを大切にしようとするなどの意欲や健康・安全への態度，運動を**合理的**に実践するための運動の技能や知識，それらを活用するなどの**思考力**，判断力，表現力等を指している。

2　中学校の保健体育科の内容

体育分野は 8 領域，保健分野は 4 領域からなる。

〔体育分野〕	〔保健分野〕
体つくり運動	健康な生活と疾病の予防
器械運動	
陸上競技	心身の機能の発達と心の健康
水泳	
球技	傷害の防止
武道	
ダンス	健康と環境
体育理論	

3 指導計画の作成

授業時数の数字についてよく問われる。

□単元など内容や時間のまとまりを見通して，その中で育む資質・能力の育成に向けて，生徒の**主体的**・対話的で深い学びの実現を図るようにすること。その際，**体育や保健の見方・考え方**を働かせながら，**運動や健康についての自他の課題を発見し，**その合理的な解決のための活動の充実を図ること。また，運動の楽しさや**喜び**を味わったり，健康の大切さを実感したりすることができるよう留意すること。

□保健体育の年間標準授業時数は，各学年で**105**単位時間，3学年で**315**単位時間。

⏱□保健分野の授業時数は，3学年間で**48**単位時間程度配当すること。

□保健分野の授業時数は，3学年間を通じて適切に**配当**し，各学年において効果的な学習が行われるよう考慮して配当すること。

⏱□体育分野の授業時数は，各学年にわたって適切に配当すること。その際，体育分野の内容の「A体つくり運動」については，各学年で**7単位時間**以上を，「H体育理論」については，各学年で**3単位時間**以上を配当すること。

□体育分野の内容の「B器械運動」から「Gダンス」までの領域の授業時数は，それらの内容の習熟を図ることができるよう考慮して配当すること。

□障害のある生徒などについては，学習活動を行う場合に生じる**困難**さに応じた指導内容や指導方法の工夫を計画的，組織的に行うこと。

4 内容の取り扱い

⏱□体力や技能の程度，**性別や障害の有無等**に関わらず，運動の多様な**楽**しみ方を共有することができるよう留意すること。

□言語能力を育成する**言語活動**を重視し，筋道を立てて練習や作戦について話し合う活動や，個人生活における**健康の保持増進や回復**について話し合う活動などを通して，**コミュニケーション能力**や論理的な思考力の育成を促し，**自主的**な学習活動の充実を図ること。

□内容の指導に当たっては，コンピュータや**情報通信ネットワーク**などの情報手段を積極的に活用して，各分野の特質に応じた学習活を行うよう工夫すること。

□体育分野におけるスポーツとの多様な関わり方や保健分野の指導については，具体的な体験を伴う学習の工夫を行うよう留意すること。

□生徒が学習内容を確実に身に付けることができるよう，学校や生徒の実態に応じ，学習内容の習熟の程度に応じた指導，個別指導との連携を踏まえた教師間の協力的な指導などを工夫改善し，個に応じた指導の充実が図られるよう留意すること。

□学校における体育・健康に関する指導の趣旨を生かし，特別活動，運動部の活動などとの関連を図り，日常生活における体育・健康に関する活動が適切かつ継続的に実践できるよう留意すること。なお，体力の測定については，計画的に実施し，運動の指導及び体力の向上に活用するようにすること。

5　障害のある生徒への指導

障害のある生徒の場合，特段の配慮が要る。『中学校学習指導要領解説(保健体育編)』の記述をもとに，理解を深めよう。

□障害者の権利に関する条約に掲げられたインクルーシブ教育システムの構築を目指し，生徒の自立と社会参加を一層推進していくためには，通常の学級，通級による指導，特別支援学級，特別支援学校において，生徒の十分な学びを確保し，一人一人の生徒の障害の状態や発達の段階に応じた指導や支援を一層充実させていく必要がある。

□通常の学級においても，発達障害を含む障害のある生徒が在籍している可能性があることを前提に，全ての教科等において，一人一人の教育的ニーズに応じたきめ細かな指導や支援ができるよう，障害種別の指導の工夫のみならず，各教科等の学びの過程において考えられる困難さに対する指導の工夫の意図，手立てを明確にすることが重要である。

□特に，保健体育科においては，実技を伴うことから，全ての生徒に対する健康・安全の確保に細心の配慮が必要である。そのため，生徒の障害に起因する困難さに応じて，複数教員による指導や個別指導を行うなどの配慮をすることが大切である。

□個々の生徒の困難さに応じた指導内容や指導方法については，学校や地域の実態に応じて適切に設定することが大切である。

教科の目標と内容（高等学校） 頻出度 A

ここが出る！ ▶▶

- 高等学校の体育と保健の内容の柱を覚えよう。体育はA～Hの8つ，保健は(1)～(4)の4つである。
- 体育の各領域に充てる授業時数や，保健の履修時期について，どのように定められているか。

1 高等学校の保健体育科の目標

中学校のものとほぼ同じである。

体育や保健の見方・考え方を働かせ，課題を発見し，合理的，計画的な解決に向けた学習過程を通して，心と体を一体として捉え，生涯にわたって心身の健康を保持増進し豊かな**スポーツライフ**を継続するための資質・能力を次のとおり育成することを目指す。

□各種の運動の特性に応じた技能等及び社会生活における**健康・安全**について理解するとともに，技能を身に付けるようにする。

□運動や健康についての**自他**や社会の課題を発見し，合理的，計画的な解決に向けて思考し判断するとともに，他者に**伝える力**を養う。

□**生涯**にわたって継続して運動に親しむとともに健康の保持増進と**体力の向上**を目指し，明るく豊かで活力ある生活を営む態度を養う。

2 高等学校の保健体育科の内容

体育と保健の内容の柱を押さえよう。前者は8つ，後者は4つである。

● 内容

□体育の内容は，A)**体つくり運動**，B)**器械運動**，C)**陸上競技**，D)**水泳**，E)**球技**，F)**武道**，G)**ダンス**，H)体育理論，からなる。

□保健の内容は，(1)**現代社会と健康**，(2)**安全な社会生活**，(3)**生涯を通じる健康**，(4)健康を支える**環境づくり**，からなる。

● 標準単位数

□体育の標準単位数は7～8単位，保健は2単位である。

□単位については，1単位時間を50分とし，35単位時間の授業を1単位として計算することを標準とする。（高等学校学習指導要領総則）

3　指導計画の作成と内容の取扱い

●指導計画の作成

□単元など内容や時間のまとまりを見通して，その中で育む資質・能力の育成に向けて，生徒の主体的・対話的で深い学びの実現を図るようにすること。その際，体育や保健の見方・考え方を働かせながら，運動や健康についての自他や社会の課題を発見し，その合理的，計画的な解決のための活動の充実を図ること。また，運動の楽しさや喜びを深く味わったり，健康の大切さを実感したりすることができるよう留意すること

□特別活動，運動部の活動などとの関連を図り，日常生活における体育・健康に関する活動が適切かつ継続的に実践できるよう留意すること。なお，体力の測定については，計画的に実施し，運動の指導及び体力の向上に活用するようにすること。

□「体育」は，各年次継続して履修できるようにし，各年次の単位数はなるべく均分して配当すること。

□内容の「A体つくり運動」に対する授業時数については，各年次で7〜10単位時間程度を，内容の「H体育理論」に対する授業時数については，各年次で6単位時間以上を配当するとともに，内容の「B器械運動」から「Gダンス」までの領域に対する授業時数の配当については，その内容の習熟を図ることができるよう考慮すること。

□「保健」は，原則として入学年次及びその次の年次の2か年にわたり履修させること❶。

●内容の取扱い

□言語能力を育成する言語活動を重視し，筋道を立てて練習や作戦について話し合ったり身振りや身体を使って動きの修正を図ったりする活動や，個人及び社会生活における健康の保持増進や回復について話し合う活動などを通して，コミュニケーション能力や論理的な思考力の育成を促し，主体的な学習活動の充実を図ること。

❶高等学校においてもできるだけ長い期間継続して学習し，健康や安全についての興味・関心や意欲を持続させ，生涯にわたって健康で安全な生活を送るための基礎となるよう配慮したものである。

学習指導要領総則の関連事項 頻出度 C

ここが出る! ▶▶

- 保健体育科は，学校における「体育・健康に関する指導」の一翼を担う。この上位領域に関する，総則の規定を知っておこう。
- 部活動の指導が教員の過重勤務の原因になっている。それをサポートする「部活動指導員」が，学校の職員の中に位置づけられた。

1 体育・健康に関する指導と部活動

中学校新学習指導要領総則で言及されていることである。

□学校における体育・健康に関する指導を，生徒の発達の段階を考慮して，学校の教育活動全体を通じて適切に行うことにより，健康で安全な生活と豊かなスポーツライフの実現を目指した教育の充実に努めること。特に，学校における食育の推進並びに体力の向上に関する指導，安全に関する指導及び心身の健康の保持増進に関する指導については，保健体育科，技術・家庭科及び特別活動の時間はもとより，各教科，道徳科及び総合的な学習の時間などにおいてもそれぞれの特質に応じて適切に行うよう努めること。

□また，それらの指導を通して，家庭や地域社会との連携を図りながら，日常生活において適切な体育・健康に関する活動の実践を促し，生涯を通じて健康・安全で活力ある生活を送るための基礎が培われるよう配慮すること。

2 部活動の意義と留意点等

単独で指導や大会引率ができる部活動指導員も導入されている。

●中学校学習指導要領総則の規定

□生徒の自主的，自発的な参加により行われる部活動については，スポーツや文化，科学等に親しませ，学習意欲の向上や責任感，連帯感の涵養等，学校教育が目指す資質・能力の育成に資するものであり，学校教育の一環として，教育課程との関連が図られるよう留意すること。

□その際，学校や地域の実態に応じ，地域の人々の協力，社会教育施設や社会教育関係団体等の各種団体との連携などの運営上の工夫を行い，持続可能な運営体制が整えられるようにするものとする。

● **部活動指導員の法的根拠**

⏱ □ **部活動指導員**は，中学校におけるスポーツ，文化，科学等に関する教育活動(中学校の教育課程として行われるものを除く。)に係る技術的な指導に従事する❶。(学校教育法施行規則第78条の2)

□ この規定は，高等学校等にも準用される。

3　保健体育科の指導におけるICTの活用

　ICTの活用も欠かせない。以下は，保健体育科の授業でICTを活用できる7つの場面である。文部科学省「教育の情報化に関する手引」(2020年)を参照。最初の3つについては，具体例も掲げる。

□ 生徒の学習に対する興味・関心を高める場面。

　○各領域における「運動の特性や成り立ち」や「技術(技)の名称や行い方」などについて，映像等を活用して学習することにより，知識や技能などに関する理解が一層深まることが期待できる。

　○また,上級者等の模範となる動きを映像等で確認することにより,これから学習する内容に対する興味・関心を高めることが期待できる。

□ 生徒一人一人が課題を明確に把握する場面。

　○自己の動きをデジタルカメラやタブレット型の学習者用コンピュータにより撮影し，その場で映像を確認することで，技能における自己の課題を明確に把握するとともに，課題を解決する方法を思考，判断し，選択する際の参考とすることが期待できる。

⏱ □ 動きを撮影した画像を基に，グループでの話合いを活性化させる場面。

　○球技のゲームや武道の試合，ダンスの発表などを撮影し，グループでの活動後，個人の動きや相手との攻防，仲間との連携等を画像で振り返ることにより，仲間の動きを指摘し合ったり，新たな動き方などを話し合ったりするなど，自己の考えを表現するための資料とすることが期待できる。

□ 学習の成果を確認し，評価の資料とする場面。

□ 動画視聴による課題発見，課題解決の場面。

□ アンケート機能の活用による生徒の意見を効率的に可視化する場面。

□ 情報の収集や表現をする場面。

❶部活動は課外活動であり，教員免許状を有する教員が指導に当たる必要はない。

●**Answer**●

□1　中学校の保健体育科の保健分野を構成する内容項目の一つに，「健康と環境」というものがある。　　　　　　→P.11

1　○

□2　中学校の保健分野の標準授業時数は，3学年間で100単位時間程度である。
　　　　　　　　　　　　　　　→P.12

2　×
48単位時間程度である。

□3　中学校の保健分野の授業時数は，3学年を通じて適切に配当し，各学年で効果的な学習を行う。　　　　　　→P.12

3　○

□4　中学校の体育分野の「A体つくり運動」については，各学年で3単位時間以上を配当する。　　　　　　　　→P.12

4　×
7単位時間以上である。

□5　インクルーシブ教育システムについては，1970年に制定された障害者基本法において言及されている。　　→P.13

5　×
障害者基本法ではなく，障害者の権利に関する条約である。

□6　高等学校の保健体育科の目標の文章には，「スポーツライフ」という言葉が含まれている。　　　　　　　→P.14

6　○

□7　高等学校の体育の標準単位数は，5〜6単位である。　　　　　　　→P.14

7　×
7〜8単位である。

□8　高等学校では，1単位時間を50分とし，30単位時間の授業を1単位として計算することを標準とする。　　→P.14

8　×
35単位時間の授業を1単位とする。

□9　高等学校の体育の「H体育理論」については，各年次で10単位時間以上の授業時数を配当する。　　　　　→P.15

9　×
6単位時間以上である。

□10　高等学校の保健は，原則として，入学年次及びその次の年次の2か年にわたり履修させる。　　　　　　→P.15

10　○

□11　学校における食育に関する指導は，もっぱら家庭科の時間で行う。　　→P.16

11　×
保健体育科や特別活動などでも行われる。

体育

体育の目標と内容（中学校） 頻出度 **C**

ここが出る! ▶▶

・保健体育科は，体育と保健に分かれる。前者は，どのようなことを
目標としているか。学習指導要領の原文の空欄補充問題が頻出。
・中学校の体育の内容は，A〜Hの8つの領域からなる。各領域
に含まれる，具体的な内容項目を押さえよう。

---

1 中学校の体育の目標

第1・2学年と第3学年に分けて規定されている。

●第1学年及び第2学年

□運動の**合理的**な実践を通して，運動の楽しさや**喜び**を味わい，運動を
豊かに実践することができるようにするため，運動，**体力**の必要性に
ついて理解するとともに，基本的な**技能**を身に付けるようにする。

□運動についての自己の**課題**を発見し，合理的な解決に向けて思考し判
断するとともに，**自己**や仲間の考えたことを**他者**に伝える力を養う。

□運動における競争や**協働**の経験を通して，**公正**に取り組む，互いに協
力する，自己の役割を果たす，一人一人の**違い**を認めようとするなど
の意欲を育てるとともに，健康・安全に留意し，自己の**最善**を尽くし
て運動をする態度を養う。

●第3学年

□運動の合理的な**実践**を通して，運動の楽しさや喜びを味わい，**生涯**に
わたって運動を豊かに実践することができるようにするため，運動，
体力の**必要性**について理解するとともに，基本的な技能を身に付ける
ようにする。

□運動についての自己や仲間の**課題**を発見し，合理的な**解決**に向けて思
考し判断するとともに，自己や仲間の考えたことを他者に伝える力を
養う。

□運動における**競争**や協働の経験を通して，**公正**に取り組む，互いに協
力する，自己の**責任**を果たす，参画する，一人一人の違いを大切にし
ようとするなどの意欲を育てるとともに，健康・安全を確保して，生
涯にわたって運動に親しむ**態度**を養う。

2 中学校の体育の内容

　次に内容である。テーマ１でみた８つの領域の下に，いくつかの下位
項目が設けられている。学習指導要領解説の一覧表を抜粋する。

〔第１学年及び第２学年〕	〔第３学年〕
【A体つくり運動】	【A体つくり運動】
ア　体ほぐしの運動	ア　体ほぐしの運動
イ　体の動きを高める運動	イ　実生活に生かす運動の計画
【B器械運動】	【B器械運動】
ア　マット運動	ア　マット運動
イ　鉄棒運動	イ　鉄棒運動
ウ　平均台運動	ウ　平均台運動
エ　跳び箱運動	エ　跳び箱運動
【C陸上競技】	【C陸上競技】
ア　短距離走・リレー，長距離走 　　又はハードル走	ア　短距離走・リレー，長距離走 　　又はハードル走
イ　走り幅跳び又は走り高跳び	イ　走り幅跳び又は走り高跳び
【D水泳】	【D水泳】
ア　クロール	ア　クロール
イ　平泳ぎ	イ　平泳ぎ
ウ　背泳ぎ	ウ　背泳ぎ
エ　バタフライ	エ　バタフライ
	オ　複数の泳法で泳ぐ又はリレー
【E球技】	【E球技】
ア　ゴール型	ア　ゴール型
イ　ネット型	イ　ネット型
ウ　ベースボール型	ウ　ベースボール型
【F武道】	【F武道】
ア　柔道	ア　柔道
イ　剣道	イ　剣道
ウ　相撲	ウ　相撲
【Gダンス】	【Gダンス】
ア　創作ダンス	ア　創作ダンス
イ　フォークダンス	イ　フォークダンス
ウ　現代的なリズムのダンス	ウ　現代的なリズムのダンス
【H体育理論】	【H体育理論】
(1)　運動やスポーツの多様性	(1)　文化としてのスポーツの意義
(2)　運動やスポーツの意義や効果 　　と学び方や安全な行い方	

● 体育（科目の目標と内容）

体育の目標と内容（高等学校）

ここが出る！ ▶▶

- 科目の目標の原文は最頻出。高等学校の場合，中学校のように学年別に分かれてはいない。「スポーツライフ」などの用語に注意。
- 高等学校の体育の内容も，A〜Hの8つの領域からなる。各領域に含まれる，具体的な内容項目を押さえよう。

1 高等学校の体育の目標

新学習指導要領では，次のように定められている。

● 原文

> 体育の見方・考え方を働かせ，課題を発見し，合理的，計画的な解決に向けた学習過程を通して，心と体を一体として捉え，生涯にわたって豊かな**スポーツライフ**を継続するとともに，自己の状況に応じて**体力の向上**を図るための資質・能力を次のとおり育成することを目指す。
>
> □運動の合理的，計画的な実践を通して，運動の楽しさや喜びを深く味わい，生涯にわたって運動を豊かに継続することができるようにするため，運動の多様性や体力の必要性について理解するとともに，それらの技能を身に付けるようにする。
>
> □生涯にわたって運動を豊かに継続するための課題を発見し，合理的，計画的な解決に向けて思考し判断するとともに，自己や仲間の考えたことを他者に伝える力を養う。
>
> □運動における競争や協働の経験を通して，公正に取り組む，互いに協力する，自己の責任を果たす，参画する，一人一人の違いを大切にしようとするなどの意欲を育てるとともに，<u>健康・安全を確保して</u>，生涯にわたって継続して運動に親しむ態度を養う。

● 補説

□健康・安全を確保してとは，主体的に取り組む生涯スポーツの実践場面を想定して，体調に応じて運動量を調整したり，仲間や相手の体力や技能の程度に配慮したり，用具や場の安全を確認するなどして，自分や仲間のけがを最小限にとどめることや事故の危険性を未然に回避

することなど，自ら健康・安全を確保できるようにする態度の育成が重要であることを示したものである。

2 高等学校の体育の内容（一覧表）

□体育の内容は，運動に関する領域及び知識に関する領域で構成されている。

□内容の一覧表は以下。A～Gは運動，Hは知識に関する領域である。

領域	領域の内容			
【A 体つくり運動】	ア 体ほぐしの運動	(1) 知識及び運動	生涯スポーツにつながる知識	(2) 思考力，判断力，表現力等 (3) 学びに向かう力，人間性等
	イ 実生活に生かす運動の計画	(1) 知識及び運動		
【B 器械運動】	ア マット運動	(1) 知識及び技能	生涯スポーツにつながる知識	(2) 思考力，判断力，表現力等 (3) 学びに向かう力，人間性等
	イ 鉄棒運動	(1) 知識及び技能		
	ウ 平均台運動	(1) 知識及び技能		
	エ 跳び箱運動	(1) 知識及び技能		
【C 陸上競技】	ア 短距離走・リレー，長距離走又はハードル走	(1) 知識及び技能	生涯スポーツにつながる知識	(2) 思考力，判断力，表現力等 (3) 学びに向かう力，人間性等
	イ 走り幅跳び又は走り高跳び	(1) 知識及び技能		
【D 水泳】	ア クロール	(1) 知識及び技能	生涯スポーツにつながる知識	(2) 思考力，判断力，表現力等 (3) 学びに向かう力，人間性等
	イ 平泳ぎ	(1) 知識及び技能		
	ウ 背泳ぎ	(1) 知識及び技能		
	エ バタフライ	(1) 知識及び技能		
	オ 複数の泳法で泳ぐ又はリレー	(1) 知識及び技能		
【E 球技】	ア ゴール型	(1) 知識及び技能	生涯スポーツにつながる知識	(2) 思考力，判断力，表現力等 (3) 学びに向かう力，人間性等
	イ ネット型	(1) 知識及び技能		
	ウ ベースボール型	(1) 知識及び技能		
【F 武道】	ア 柔道	(1) 知識及び技能	生涯スポーツにつながる知識	(2) 思考力，判断力，表現力等 (3) 学びに向かう力，人間性等
	イ 剣道	(1) 知識及び技能		
【G ダンス】	ア 創作ダンス	(1) 知識及び技能	生涯スポーツにつながる知識	(2) 思考力，判断力，表現力等 (3) 学びに向かう力，人間性等
	イ フォークダンス	(1) 知識及び技能		
	ウ 現代的なリズムのダンス	(1) 知識及び技能		
【H 体育理論】	(1) スポーツの文化的特性や現代のスポーツの発展	ア 知識		イ 思考力，判断力，表現力等 ウ 学びに向かう力，人間性等
	(2) 運動やスポーツの効果的な学習の仕方	ア 知識		
	(3) 豊かなスポーツライフの設計の仕方	ア 知識		

● 体育（体つくり運動）
体つくり運動の内容

頻出度
B

ここが出る！ ▶▶
・「A体つくり運動」の内容を押さえよう。各段階の内容を識別させる問題もよく出る。
・原文の中の重要用語について，深く問う問題も出る。「実生活に生かす運動の計画」について，理解を深めておこう。

1 体つくり運動の内容（中学校第1・2学年）

「知識及び運動」，「思考力，判断力，表現力等」，「学びに向かう力，人間性等」の3つからなる❶。

●知識及び運動

□(1) 次の運動を通して，体を動かす楽しさや心地よさを味わい，体つくり運動の意義と行い方，体の動きを高める方法などを理解し，目的に適した運動を身に付け，組み合わせること。
　ア　体ほぐしの運動では，手軽な運動を行い，心と体との関係や心身の状態に気付き，仲間と積極的に関わり合うこと。
　イ　体の動きを高める運動では，ねらいに応じて，体の柔らかさ，巧みな動き，力強い動き，動きを持続する能力を高めるための運動を行うとともに，それらを組み合わせること。

●思考力，判断力，表現力等

□(2) 自己の課題を発見し，合理的な解決に向けて運動の取り組み方を工夫するとともに，自己や仲間の考えたことを他者に伝えること。

●学びに向かう力，人間性等

□(3) 体つくり運動に積極的に取り組むとともに，仲間の学習を援助しようとすること，一人一人の違いに応じた動きなどを認めようとすること，話合いに参加しようとすることなどや，健康・安全に気を配ること。

❶学習指導要領で育成することとされる，3つの資質・能力に対応している。

2 体ほぐし運動の具体例

下線部の運動の具体例である。

□のびのびとした動作で用具などを用いた運動。

□リズムに乗って心が弾むような運動。

□緊張したり緊張を解いて脱力したりする運動。

□いろいろな条件で，歩いたり走ったり跳びはねたりする運動。

□仲間と動きを合わせたり，対応したりする運動。

□仲間と協力して課題を達成するなど，集団で挑戦するような運動。

3 体の動きを高める運動の具体例

●体の柔らかさを高めるための運動

□大きくリズミカルに全身や体の各部位を振ったり，回したり，ねじったり，曲げ伸ばしたりすること。

□体の各部位をゆっくり伸展し，そのままの状態で約10秒間維持すること。

●巧みな動きを高めるための運動

□いろいろなフォームで様々な用具を用いて，タイミングよく跳んだり転がしたりすること。

□大きな動作で，ボールなどの用具を，力を調整して投げたり受けたりすること。

□人と組んだり，用具を利用したりしてバランスを保持すること。

□床やグラウンドに設定した様々な空間をリズミカルに歩いたり，走ったり，跳んだり，素早く移動したりすること。

●力強い動きを高めるための運動

□自己の体重を利用して腕や脚を屈伸したり，腕や脚を上げたり下ろしたり，同じ姿勢を維持したりすること。

□二人組で上体を起こしたり，脚を上げたり，背負って移動したりすること。

□重い物を押したり，引いたり，投げたり，受けたり，振ったり，回したりすること。

●動きを持続する能力を高めるための運動

□走や縄跳びなどを，一定の時間や回数，又は，自己で決めた時間や回

数を持続して行うこと。

□ステップやジャンプなど複数の異なる運動を組み合わせて，エアロビクスなどの有酸素運動を時間や回数を決めて持続して行うこと。

4 体つくり運動の内容（中学校第3学年・高等学校入学年次）

大枠は，下学年と同じである。

● 知識及び運動

□(1) 次の運動を通して，体を動かす楽しさや心地よさを味わい，運動を継続する意義，体の構造，運動の原則などを理解するとともに，健康の保持増進や体力の向上を目指し，目的に適した運動の計画を立て取り組むこと。

　ア　体ほぐしの運動では，手軽な運動を行い，心と体は互いに影響し変化することや心身の状態に気付き，仲間と自主的に関わり合うこと。

　イ　**実生活に生かす運動の計画**では，ねらいに応じて，健康の保持増進や調和のとれた**体力**の向上を図るための運動の計画を立て取り組むこと。

● 思考力，判断力，表現力等

□(2) 自己や仲間の課題を発見し，合理的な解決に向けて運動の取り組み方を工夫するとともに，自己や仲間の考えたことを他者に伝えること。

● 学びに向かう力，人間性等

□(3) 体つくり運動に自主的に取り組むとともに，互いに助け合い教え合おうとすること，一人一人の違いに応じた動きなどを大切にしようとすること，話合いに貢献しようとすることなどや，健康・安全を確保すること。

5 実生活に生かす運動の計画の例

中3以降では，「実生活に生かす運動の計画」を扱う。

□健康に生活するための体力の向上を図る運動の計画と実践

・運動不足の解消や体調維持のために，食事や睡眠などの生活習慣の改善も含め，休憩時間や家庭などで日常的に行うことができるよう効率のよい組合せやバランスのよい組合せで運動の計画を立てて取り組むこと。

□運動を行うための体力の向上を図る運動の計画と実践

・調和のとれた体力の向上を図ったり，選択した運動やスポーツの場面で必要とされる体の動きを高めたりするために，効率のよい組合せやバランスのよい組合せで運動の計画を立てて取り組むこと。

6 体つくり運動の内容（高等学校入学年次の次の年次以降）

●知識及び運動

□(1) 次の運動を通して，体を動かす楽しさや心地よさを味わい，体つくり運動の行い方，体力の構成要素，実生活への取り入れ方などを理解するとともに，自己の体力や生活に応じた継続的な運動の計画を立て，実生活に役立てること。

　ア　体ほぐしの運動では，手軽な運動を行い，心と体は互いに影響し変化することや心身の状態に気付き，仲間と主体的に関わり合うこと。

　イ　実生活に生かす運動の計画では，自己のねらいに応じて，健康の保持増進や調和のとれた体力の向上を図るための継続的な運動の計画を立て取り組むこと。

●思考力，判断力，表現力等

□(2) 生涯にわたって運動を豊かに継続するための自己や仲間の課題を発見し，合理的，計画的な解決に向けて取り組み方を工夫するとともに，自己や仲間の考えたことを他者に伝えること。

●学びに向かう力，人間性等

□(3) 体つくり運動に主体的に取り組むとともに，互いに助け合い高め合おうとすること，一人一人の違いに応じた動きなどを大切にしようとすること，合意形成に貢献しようとすることなども，健康・安全を確保すること。

器械運動の内容

頻出度
B

- ・「B器械運動」では，具体的にどのような運動を行うこととされているか。新学習指導要領の記載事項を覚えよう。
- ・回転系，巧技系というような，技の下位分類を表す用語に注意しながら原文を読もう。

1 器械運動の内容（中学校第1・2学年）

4つの運動の下に2つの「系」が設けられている。

●知識及び技能

□(1) 次の運動について，技ができる**楽しさや喜び**を味わい，器械運動の特性や成り立ち，技の名称や行い方，その運動に関連して高まる**体力**などを理解するとともに，技をよりよく行うこと。

ア マット運動では，**回転系**や**巧技系**の基本的な技を滑らかに行うこと，条件を変えた技や**発展技**を行うこと及びそれらを<u>組み合わせる</u>こと。

イ 鉄棒運動では，**支持系**や**懸垂系**の基本的な技を滑らかに行うこと，条件を変えた技や**発展技**を行うこと及びそれらを<u>組み合わせる</u>こと。

ウ 平均台運動では，**体操系**や**バランス系**の基本的な技を滑らかに行うこと，条件を変えた技や**発展技**を行うこと及びそれらを<u>組み合わせる</u>こと。

エ 跳び箱運動では，**切り返し系**や**回転系**の基本的な技を**滑らかに行うこと**，条件を変えた技や発展技を行うこと。

□**組み合わせる**とは，学習した基本的な技，**条件を変えた技**，**発展技**の中から，いくつかの技を「はじめ―なか―おわり」に組み合わせて行うことを示している。

●思考力，判断力，表現力等

□(2) 技などの自己の課題を発見し，合理的な**解決**に向けて運動の取り組み方を工夫するとともに，自己の考えたことを他者に伝えること。

●学びに向かう力，人間性等

□(3) 器械運動に積極的に取り組むとともに，よい演技を認めようとすること，仲間の学習を援助しようとすること，一人一人の違いに応じた課題や挑戦を認めようとすることなどや，健康・安全に気を配ること。

2 器械運動の内容（中学校第3学年・高等学校入学年次）

第3学年では，「構成し演技すること」という言い回しになる。

●知識及び技能

□(1) 次の運動について，技ができる楽しさや喜びを味わい，技の名称や行い方，運動観察の方法，体力の高め方などを理解するとともに，自己に適した技で演技すること。

ア　マット運動では，回転系や巧技系の**基本的な技を滑らかに安定して行う**こと，**条件を変えた技**や**発展技**を行うこと及びそれらを**構成し演技する**こと。

イ　鉄棒運動では，**支持系や懸垂系の基本的な技を滑らかに安定して行う**こと，条件を変えた技や**発展技**を行うこと及びそれらを**構成し演技する**こと。

ウ　**平均台運動**では，体操系やバランス系の基本的な技を滑らかに安定して行うこと，条件を変えた技や発展技を行うこと及びそれらを**構成し演技する**こと。

エ　跳び箱運動では，切り返し系や回転系の基本的な技を滑らかに**安定して行う**こと，条件を変えた技や発展技を行うこと。

●思考力，判断力，表現力等

□(2) 技などの自己や仲間の課題を発見し，合理的な解決に向けて運動の取り組み方を工夫するとともに，自己の考えたことを**他者に**伝えること。

●学びに向かう力，人間性等

□(3) 器械運動に**自主的**に取り組むとともに，よい演技を讃えようとすること，互いに助け合い教え合おうとすること，一人一人の違

いに応じた課題や挑戦を大切にしようとすることなどや，健康・安全を確保すること。

3 用語の解説

● 用語

□ **基本的な技**とは，各種目の系の技の中で基本的な運動課題をもつ技を示している。

□ **滑らかに安定して行う**とは，技を繰り返し行っても，その技に求められる動き方が，いつでも動きが**途切れ**ずに続けてできることを示している。

□ **条件を変えた技**を行うとは，同じ技でも，開始姿勢や終末姿勢を変えて行う，その技の前や後に動きを組み合わせて行う，手の着き方や握りを変えて行うことなどを示している。

□ **発展技**を行うとは，系，技群，グループの基本的な技から発展した技を行うことを示している。

□ **構成し演技する**とは，基本的な技，条件を変えた技，発展技の中から，技の静止や組合せの流れに着目して「はじめ―なか―おわり」に用いる技を構成し，演技できるようにするといった組合せの質的な発展を示している。

● 補助について

□【 直接補助 】…直接的に体に触れて，正しい運動経過へと導くために体を支えたり，運動の方向等を修正したりすること。

□【 間接補助 】…人がそばに寄り添って安心感を与えたり，着地点にマットを敷くなどして安全を確保したりする。

4 器械運動の内容（高等学校入学年次の次の年次以降）

● 知識及び技能

□(1) 次の運動について，技がよりよくできたり自己や仲間の課題を解決したりするなどの多様な楽しさや喜びを味わい，技の名称や行い方，体力の高め方，課題解決の方法，発表の仕方などを理解するとともに，自己に適した技で演技すること。

ア　マット運動では，回転系や巧技系の基本的な技を滑らかに安
　定して行うこと，条件を変えた技や発展技を行うこと及びそれ
　らを構成し演技すること。

イ　鉄棒運動では，支持系や懸垂系の基本的な技を滑らかに安定
　して行うこと，条件を変えた技や発展技を行うこと及びそれら
　を構成し演技すること。

ウ　平均台運動では，体操系やバランス系の基本的な技を滑らか
　に安定して行うこと，条件を変えた技や発展技を行うこと及び
　それらを構成し演技すること。

エ　跳び箱運動では，切り返し系や回転系の基本的な技を滑らか
　に安定して行うこと，条件を変えた技や発展技を行うこと。

● 思考力，判断力，表現力等

□(2)　生涯にわたって運動を豊かに継続するための自己や仲間の課題
　を発見し，合理的，計画的な解決に向けて取り組み方を工夫する
　とともに，自己や仲間の考えたことを他者に伝えること。

● 学びに向かう力，人間性等

□(3)　器械運動に主体的に取り組むとともに，よい演技を讃えようと
　すること，互いに助け合い高め合おうとすること，一人一人の違
　いに応じた課題や挑戦を大切にしようとすることなどや，健康・
　安全を確保すること。

5　器械運動の内容の取扱い（高等学校）

● 原文

□「B器械運動」の(1)の運動については，アからエまでの中から選択して
　履修できるようにすること。

● 補説

□履修できる運動種目の数については，特に制限を設けていないが，指
　導内容の習熟を図ることができるよう，十分な時間を配当すること。

□生徒の体力や技能の程度に応じて健康・安全の確保に配慮した上で，
　生徒が選択できるようにすることが大切である。

マット運動

ここが出る！ ▶▶

- マット運動の種目を分類する枠組みを押さえよう。回転系（接転技群，ほん転技群），巧技系（平均立ち技群）というものである。
- それぞれの技群で取り上げるべき具体的な技として，学習指導要領解説はどのようなものを例示しているか。

　学校体育で行う器械運動は，ドイツのヤーンが提唱したトゥルネンを源流としている。まずは，マット運動についてみてみよう。

1　マット運動の技

回転系	接転技群	背中をマットに接して回転する。
	ほん転技群	手や足の支えで回転する。
巧技系	平均立ち技群	バランスをとりながら静止する。

2　技の動き

　高等学校学習指導要領解説を参照。

● 回転系の接転技群

□体をマットに順々に接触させて回転するための動き方，回転力を高めるための動き方で，基本的な技の一連の動きを滑らかに安定させて回ること。

□開始姿勢や終末姿勢，組合せの動きや支持の仕方などの条件を変えて回ること。

□学習した基本的な技を発展させて，一連の動きで回ること。

● 回転系のほん転技群

□全身を支えたり，突き放したりするための着手の仕方，回転力を高めるための動き方，起き上がりやすくするための動き方で，基本的な技の一連の動きを滑らかに安定させて回転すること。

● 巧技系の平均立ち技群

□バランスよく姿勢を保つための力の入れ方，バランスの崩れを復元させるための動き方で，基本的な技の一連の動きを滑らかに安定させて静止すること。

3 主な技の例示

●マット運動の主な技の例示

系	技群	グループ	基本的な技 (主に中1・2で例示)	発展技
回転系	接転	前転	開脚前転 ——————→	伸膝前転
			——————→倒立前転	
			——————————→	跳び前転
		後転	開脚後転 ——————→	伸膝後転 ——————→後転倒立
	ほん転	倒立回転・ 倒立回転跳び	側方倒立回転 ——→	側方倒立回転跳び1/4ひねり(ロンダート)
			倒立ブリッジ ——→	前方倒立回転 ——→前方倒立回転跳び
		はねおき	頭はねおき	
巧技系	平均立ち	片足平均立ち	片足正面水平立ち→	片足側面水平立ち,Y字バランス
		倒立	倒立 ——————→	倒立ひねり

⏱ □異なる技を「はじめ−なか−おわり」に構成し演技する❶。

●主な技の説明

文部科学省「器械運動指導の手引」(2015年3月)を参照。

□倒立回転グループの中で,学校体育で最も多く行われるのは側方倒立回転である。この技は,上体を倒しながら脚を振り上げ,回転力を高める。

□同じ倒立回転でも,前方倒立回転では,頭を背屈し(背中側に曲げる),体を反ることによって,回転力を高めることになる。

□はね起きグループに示されている頭はね起きについても,頭の背屈と体の反りによる回転が必要である。しかも,単に体を反るのではなく,腰における屈伸動作によって回転力を高め,手の押しを同調させて起き上がる。

□さらに手で押すというよりも,突き放して手でジャンプするのが倒立回転跳びである。手でジャンプする場合も,手首や肘だけではなく,肩や背中も使ってマットを跳ね返す。

□前方倒立回転跳びでは,前方への回転力は,同じように頭の背屈と体の反りによって高めるが,腰における屈伸動作ではなく,上体を勢いよく倒して着手し,脚を振り上げることによって加速する。

....

❶前転や後転において,回転後にうまく起き上がれない場合,マットを数枚重ねて段差を利用して起き上がりやすくする。

● 体育（器械運動）

鉄棒運動

ここが出る！ ▶▶

- 鉄棒運動の種目を分類する枠組みを押さえよう。支持系（前方支持回転技群，後方支持回転技群），懸垂系（懸垂技群）である。
- それぞれの技群に含まれる，基本的な技と発展技とを結びつけることができるようにしよう。

1 鉄棒運動の技

鉄棒運動は，支持系と懸垂系からなる。

支持系	前方支持回転技群	支持体勢から前方に回転する。
	後方支持回転技群	支持体勢から後方に回転する。
懸垂系	懸垂技群	懸垂体勢で行う。

2 技の動き

それぞれの技群の動きは，次のように説明されている。

●支持系の前方支持回転技群

□前方に回転の勢いをつくるための動き方，再び支持体勢に戻るために必要な鉄棒の握り直しの仕方で，基本的な技の一連の動きを滑らかに安定させて前方に回転すること。

□開始姿勢や組合せの動き，鉄棒の握り方❶などの条件を変えて前方に回転すること。

□学習した基本的な技を発展させて，一連の動きで前方に回転すること。

●支持系の後方支持回転技群

□後方に回転の勢いをつくるための動き方，バランスよく支持体勢になるための動き方で，基本的な技の一連の動きを滑らかに安定させて後方に回転すること。

●懸垂系の懸垂技群

□振動の幅を大きくするための動き方，安定した振動を行うための鉄棒の握り方で，学習した基本的な技の一連の動きを滑らかに安定させて体を前後に振ること。

❶手の甲が上になる握り方を順手，手のひらが上になる握り方を逆手という。

3 主な技の例示

基本的な技と発展技の区別がつくようにしよう。

● 鉄棒運動の主な技の例示

系	技群	グループ	基本的な技 (主に中1・2で例示)	発展技
支持系	前方支持回転	前転	前方支持回転――――――→ 踏み越し下り――――――→	前方伸膝支持回転 支持跳び越し下り
		前方足掛け回転	前方膝掛け回転―――――→ 膝掛け上がり―――――――→	前方もも掛け回転 もも掛け上がり→け上がり
	後方支持回転	後転	後方支持回転 後ろ振り跳びひねり下り	後方伸膝支持回転→後方浮き 支持回転 棒下振り出し下り
		後方足掛け回転	後方膝掛け回転―――――→	後方もも掛け回転
懸垂系	懸垂	懸垂	懸垂振動―――→後ろ振り跳び下り (順手・片逆手)	懸垂振動ひねり 前振り跳び下り

□ 異なる技を「上がる−回る−下りる」に構成し演技する。

● 図

最も基本的な前方支持回転と後方支持回転の図を示す。

□ 前方支持回転　　　　　　　　　□ 後方支持回転

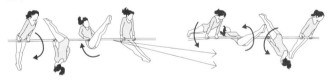

● 支持回転技の指導法

文部科学省「器械運動指導の手引」(2015年3月)を参照。

□ 支持回転技に共通していることは，回転前半では鉄棒を**押して**(肘を伸ばして)回転半径を**大きく**したり，足を**振動**したりすることにより，回転の勢いを得ることである。

□ 回転の後半では，膝や肘を曲げて回転半径を**短く**することなどで回転を加速することができる。また，**チューブ**や帯，回転補助具等の用具の使用や，仲間の補助によって運動経過を経験することで技能が向上するようにする。

□ 前方系は実施者の**後方**に立ち，後方系は実施者の**前方**に立って回転の後半を補助する。

● 体育（器械運動）
平均台運動

ここが出る! ▶▶

・平均台運動の技は，体操系とバランス系という大枠のもと，4つ
のグループに分類される。それぞれのグループに含まれる主な技
として，学習指導要領解説はどのようなものを例示しているか。
・図を提示して，技の名称を答えさせる問題も出る。

1 平均台運動の技

平均台運動は，体操系とバランス系という大枠から構成される。

	歩走グループ	台上を歩いたり走ったりして移動する。
体操系	跳躍グループ	台上へ跳び上がる，台上で跳躍する，台上から跳び下りるなど。
バランス系	ポーズグループ	台上でいろいろな姿勢でポーズをとる。
	ターンググループ	台上で方向転換する。

2 技の動き

上記の2系・4グループの動きについて，次のように説明している。

●体操系の歩走グループ

□台の位置を確認しながら振り出す足の動かし方，重心を乗せバランス
よく移動する動き方で，基本的な技の一連の動きを滑らかに安定させ
て移動すること。

□姿勢，動きのリズムなどの条件を変えて移動すること。

□学習した基本的な技を発展させて，一連の動きで移動すること。

●体操系の跳躍グループ

□跳び上がるための踏み切りの動き方，空中で姿勢や動きを変化させて
安定した着地を行うための動き方で，基本的な技の一連の動きを滑ら
かに安定させて跳躍すること。

●バランス系のポーズグループ

□バランスよく姿勢を保つための力の入れ方とバランスの崩れを復元さ
せるための動き方で，基本的な技の一連の動きを滑らかに安定させて
ポーズをとること。

● バランス系のターングループ

□ バランスよく姿勢を保つための力の入れ方，**回転をコントロールする**ための動き方で，基本的な技の一連の動きを滑らかに安定させて**方向転換**すること。

3 主な技の例示

平均台運動については，以下の技が例示されている。

● 平均台運動の主な技の例示

系	グループ	基本的な技 （主に中1・2で例示）	発展技
体操系	歩走	前方歩	前方ツーステップ，前方走
		後方歩	後方ツーステップ
	跳躍	伸身跳び （両足踏切）	かかえ込み跳び 開脚跳び下り，かかえ込み跳び下り
		開脚跳び （片足踏切）	前後開脚跳び 片足踏み切り跳び上がり
バランス系	ポーズ	立ちポーズ （両足・片足）	片足水平バランス
		座臥・支持ポーズ	V字ポーズ，片膝立ち水平支持ポーズ
	ターン	両足ターン	片足ターン（振り上げ型，回し型）

□ 異なる技を「上がる－なかの技－下りる」に構成し演技する。

● 図

□ 伸身跳び

空中で伸身ポーズをとる。

□ 前後開脚跳び

最高点で前後開脚ポーズをとる。

● 片足ターン

□ 片足ターンには，体の正面が先行する「**正ターン**」と，背面が先行する「**逆ターン**」とがある。

□ 脚の動かし方によって「**振り上げ型**」と「**回し型**」に区別される。

● 技の組合せ

□ スムーズな組合せのために，前の技の**終末局面**と次の技の**開始局面**を一連の流れをもつような動き方を工夫したりしながら，組合せや**演技構成**を行う。

ここが出る！ ▶▶

・跳び箱運動の主な技を図で示して，名称を答えさせる問題が出る。「前方倒立回転跳び」など，漢字で書けるようにしておこう。

・切り返し系の基本である開脚跳びと，回転系の基本である前方倒立回転跳びの技術を押さえよう。正誤判定の問題がよく出る。

1 跳び箱運動の技

● 取り上げる技

□跳び箱運動では，「切り返し系の切り返し跳びグループの基本的な技，回転系の回転跳びグループの基本的な技」を取り上げる。

□同じ授業内で指導する際は，「切り返し系→回転系」の順に指導する。回転系を先にすると，切り返し系の学習の際，回転感覚が残っていて事故が起きやすいため。

● グループの説明

□切り返し系の切り返し跳びグループとは，「跳び箱上に支持して回転方向を切り替えて跳び越す」ものである。

□回転系の回転跳びグループとは，「跳び箱上を回転しながら跳び越す」ものである。

2 技の動き

● 切り返し系の切り返し跳びグループ

□踏み切りから上体を前方に振り込みながら着手する動き方，突き放しによって直立体勢に戻して着地するための動き方で，基本的な技の一連の動きを滑らかに安定させて跳び越すこと。

□着手位置，姿勢などの条件を変えて跳び越すこと。

□学習した基本的な技を発展させて，一連の動きで跳び越すこと。

● 回転系の回転跳びグループ

□着手後も前方に回転するための勢いを生み出す踏み切りの動き方，突き放しによって空中に飛び出して着地するための動き方で，基本的な技の一連の動きを滑らかに安定させて跳び越すこと。

3 主な技の例示

以下のものが学習指導要領解説にて例示されている。

● 跳び箱運動の主な技の例示

系	グループ	基本的な技 (主に中 1・2 で例示)	発展技
切り返し系	切り返し跳び	開脚跳び――――→ かかえ込み跳び――――→	開脚伸身跳び 屈身跳び
回転系	回転跳び	前方屈腕倒立回転跳び―→	前方倒立回転跳び――→側方倒立回転跳び

● 図

屈身跳び　　　　　　　　前方倒立回転跳び

4 跳び箱運動の基本となる動き

文部科学省「器械運動指導の手引」(2015年3月)の記載事項である。

● 基本となる動き

□跳び箱運動の技は一般に、「助走→踏み込み→踏み切り→第一空中局面→着手→第二空中局面→着地」という運動経過をたどる。

□技の学習のベースとなる能力として、大きく「助走から踏み切り」、「着手」、「着地」の3つの要素を挙げることができる。

● 技の学習のベースとなる能力

□「助走から踏み切り」については、助走と両足踏み切りをリズミカルに組み合わせ、両足踏み切りを効果的に行い、踏み切り後には空中前方に跳び出していけるような能力が必要。

□「着地」については、第二空中局面から着地の準備をして、安全に衝撃を吸収して足で着地できるような能力が必要。

□「着手」については、両手で体重を支えたり、手で支えて体を移動できることが前提となる。

● 体育（陸上競技）

陸上競技の内容

ここが出る! ▶▶
- 陸上競技の内容を押さえよう。種目は競走，跳躍，投ての3つに分類される。
- 学年段階ごとの内容の区別をつけよう。中学校第3学年と高等学校入学年次では「運動観察」という言葉が出てくる。

1 陸上競技の内容（中学校第1・2学年）

アは競争種目，イは跳躍種目である。

● 知識及び技能

□(1) 次の運動について，記録の向上や競争の楽しさや喜びを味わい，陸上競技の特性や成り立ち，技術の名称や行い方，その運動に関連して高まる体力などを理解するとともに，基本的な動きや効率のよい動きを身に付けること。

　ア　短距離走・リレーでは，滑らかな動きで速く走ることやバトンの受渡しでタイミングを合わせること，長距離走では，ペースを守って走ること，ハードル走では，リズミカルな走りから滑らかにハードルを越すこと。

　イ　走り幅跳びでは，スピードに乗った助走から素早く踏み切って跳ぶこと，走り高跳びでは，リズミカルな助走から力強く踏み切って大きな動作で跳ぶこと。

● 思考力，判断力，表現力等

□(2) 動きなどの自己の課題を発見し，合理的な解決に向けて運動の取り組み方を工夫するとともに，自己の考えたことを他者に伝えること。

● 学びに向かう力，人間性等

□(3) 陸上競技に積極的に取り組むとともに，勝敗などを認め，ルールやマナーを守ろうとすること，分担した役割を果たそうとすること，一人一人の違いに応じた課題や挑戦を認めようとすることなどや，健康・安全に気を配ること。

2　陸上競技の内容（中学校第3学年・高等学校入学年次）

「運動観察」という言葉が出てくる。

●知識及び技能

□(1)　次の運動について，記録の向上や競争の楽しさや喜びを味わ
い，技術の名称や行い方，**体力の高め方**，**運動観察の方法**などを
理解するとともに，各種目特有の技能を身に付けること。

ア　短距離走・リレーでは，**中間走へのつなぎ**を滑らかにして速
く走ることや**バトンの受渡し**で次走者のスピードを十分高める
こと，**長距離走**では，自己に適したペースを維持して走ること，
ハードル走では，スピードを維持した走りからハードルを低く
越すこと。

イ　走り幅跳びでは，スピードに乗った**助走**から力強く踏み切っ
て跳ぶこと，走り高跳びでは，リズミカルな助走から力強く踏
み切り滑らかな**空間動作**で跳ぶこと。

●思考力，判断力，表現力等

□(2)　動きなどの自己や仲間の課題を発見し，**合理的な解決**に向けて
運動の取り組み方を工夫するとともに，自己の考えたことを他者
に伝えること。

●学びに向かう力，人間性等

□(3)　陸上競技に**自主的**に取り組むとともに，勝敗などを冷静に受け
止め，**ルールやマナー**を大切にしようとすること，自己の責任を
果たそうとすること，一人一人の違いに応じた課題や挑戦を大切
にしようとすることなどや，健康・**安全**を確保すること。

3　重要事項の説明

上記の(1)の下線部について掘り下げよう。

●体力の高め方

□体力の高め方では，陸上競技のパフォーマンスは，体力要素の中で
も，短距離走や跳躍種目などでは主として**敏捷性**や**瞬発力**に，長距離

走では主として**全身持久力**などに強く影響される。

□そのため，技術と関連させた補助運動や**部分練習**を取り入れ，繰り返したり，継続して行ったりすることで，結果として**体力**を高めることができることを理解できるようにする。

● **運動観察の方法**

□運動観察の方法では，自己の動きや仲間の動き方を分析するには，自己観察や**他者観察**などの方法があることを理解できるようにする。

⏱□例えば，二人組などでお互いの動きを観察したり，ICTを活用して自己のフォームを観察したりすることで，自己の取り組むべき技術的な課題が明確になり，学習の成果を高められることを理解できるようにする。

4 陸上競技の内容の取扱い（中学校）

競争種目と跳躍種目の中から選択履修させる。

⏱□「C 陸上競技」の(1)の運動については，ア及びイに示すそれぞれの運動の中から選択して履修できるようにすること。

5 陸上競技の内容（高等学校入学年次の次の年次以降）

● **知識及び技能**

⏱□(1) 次の運動について，記録の向上や競争及び自己や仲間の課題を解決するなどの多様な楽しさや喜びを味わい，**技術の名称や行い方**，体力の高め方，**課題解決の方法**，**競技会の仕方**などを理解するとともに，各種目特有の技能を身に付けること。

ア 短距離走・リレーでは，中間走の高いスピードを維持して速く走ることやバトンの受渡で次走者と前走者の距離を長くすること，長距離走では，**ペースの変化**に対応して走ること，ハードル走では，スピードを維持した走りからハードルを低く**リズミカル**に越すこと。

イ 走り幅跳びでは，スピードに乗った**助走**と力強い踏み切りから着地までの動きを滑らかにして跳ぶこと，**走り高跳び**では，スピードのあるリズミカルな助走から力強く踏み切り，滑らかな空間動作で跳ぶこと，**三段跳び**では，短い助走からリズミカ

ルに連続して跳ぶこと。

ウ　砲丸投げでは，立ち投げなどから砲丸を突き出して投げること，やり投げでは，短い助走からやりを前方にまっすぐ投げること。

●思考力，判断力，表現力等

□(2)　生涯にわたって運動を豊かに継続するための自己や仲間の課題を発見し，合理的，計画的な解決に向けて取り組み方を工夫するとともに，自己や仲間の考えたことを他者に伝えること。

●学びに向かう力，人間性等

□(3)　陸上競技に主体的に取り組むとともに，勝敗などを冷静に受け止め，ルールやマナーを大切にしようとすること，役割を積極的に引き受け自己の責任を果たそうとすること，一人一人の違いに応じた課題や挑戦を大切にしようとすることなども，健康・安全を確保すること。

6　陸上競技の内容の取扱い（高等学校）

●原文

□「C陸上競技」の(1)の運動については，アからウまでの中から選択して履修できるようにすること。

●補説

□陸上競技の運動種目の取扱いは，「ア短距離走・リレー，長距離走，ハードル走」，「イ走り幅跳び，走り高跳び，三段跳び」及び「ウ砲丸投げ，やり投げ」から選択して履修できるようにすることとしている。

□履修できる運動種目の数については，特に制限を設けていないが，指導内容の習熟を図ることができるよう，十分な時間を配当すること。また，生徒の体力や技能の程度に応じて健康・安全の確保に配慮した上で，生徒が選択できるようにすることが大切である。

□主体的・対話的で深い学びの実現に向けた授業改善を推進する観点から，互いに教え合う時間を確保するなどの工夫をしながら，生徒の思考を深めるために発言を促したり，気付いていない視点を提示したりするなど，学びに必要な指導の在り方を追究し，生徒の学習状況を捉えて指導を改善していくことが大切である。

ここが出る! ▶▶
- 短距離走とリレーで走る距離の目安について，学習指導要領解説はどのように規定しているか。
- リレーのバトンパスについてよく問われる。テークオーバーゾーンの長さ，バトンパスの方法などを知っておこう。

1 学習指導要領解説の記載事項

● 走る距離の目安

	短距離走	リレー
中学校1・2年	50～100m	50～100m
中学校3年	100～200m	50～100m
高等学校	100～200m	100m

● 動きの例

中学校1・2年	中学校3年，高校入学年次	高校その次の年次以降
・**クラウチングスタート**から徐々に上体を起こしていき加速すること ・自己に合った**ピッチ**とストライドで速く走ること ・リレーでは，次走者がスタートするタイミングやバトンを受け渡すタイミングを合わせること	・スタートダッシュでは地面を力強く**キック**して，徐々に上体を起こしていき加速すること ・後半でスピードが著しく低下しないよう，力みのないリズミカルな動きで走ること ・リレーでは，**次走者**はスタートを切った後スムーズに加速して，スピードを十分に高めること	・高いスピードを維持して走る**中間走**では，体の真下近くに足を接地したり，キックした足を素早く前に運んだりするなどの動きで走ること ・最も速く走ることのできる**ペース配分**に応じて動きを切り替えて走ること ・リレーでは，大きな利得距離を得るために，両走者がスピードにのり，十分に腕を伸ばした状態でバトンを渡すこと

2 スタートに関する事項

● スタートの方法

⏱ □400mまでの距離は**クラウチングスタート**で，スターティング・ブロックを使う。中・長距離は**スタンディングスタート**。

□発射音の前にスタートした場合，その競技者は**失格**となる。

□不適切スタートには**警告**が与えられ，2回警告を受けると失格。

□走者ごとに割り当てられた走路を**セパレートレーン**，自由走路を**オー**

プンレーンという。

● **クラウチングスタートのやり方**

□クラウチングスタートは，「"On your marks"の姿勢」「"Set"の姿勢」「蹴り出し」「加速」の4つの局面に分かれる。

□「用意」の合図で，"Set"の姿勢をとる。①前脚の膝は90度，②後脚の膝は120〜140度，③体幹を前方に傾ける，④肩は手よりわずかに前に出る，ようにする。スタートラインに手が触れてはいけない。

● **クラウチングスタートの種類**

□手と前足のスペース(P)と，前足と後足のスペース(Q)の関係から，3つの種類に分かれる。

	PとQの関係	備考
バンチスタート	P＞Q	足幅が狭い
ミディアムスタート	P＝Q	一般的
エロンゲーティッドスタート	P＜Q	足幅が広い

3 その他のルール

● **記録**

□胴体(トルソー)が決勝線に達した時，フィニッシュとなる。

□競争距離は，スタートラインのフィニッシュラインに遠い方の側から，フィニッシュラインのスタートラインに近い方の側まで。

□3個の時計とも異なる場合は，中間のタイムを採用。

□2個の時計で計測し，異なる場合は，遅いほうのタイムを採用。

● **リレーのバトン受け渡し**

□バトンの受け渡しは，30mのテークオーバーゾーンの中で行う。ゾーンの入口から20mが基準線となる。

□オーバーハンドのバトンパスは，次走者の腕振りのタイミングで声をかけ，お互いが腕を伸ばして利得距離を長くする。

□バトンパスの完了前にバトンを落とした場合，前走者が拾う。バトンパスが完了した後にバトンを落とした場合，次走者が拾う。

□バトンを落とした場合，距離が短くならないことを条件に，レーンの外で拾ってもよい。

□テークオーバーゾーン外でバトンを手渡す，バトンを投げ渡す，という行為は失格となる。

ここが出る！ ▶▶

・長距離走の走る距離の目安として，学習指導要領解説はどのように規定しているか。
・長距離走の動きの例として，どのようなものがあるか。どの学校（学年）段階のものかを識別させる問題が出る。

1 中学校学習指導要領解説の記載事項

『中学校学習指導要領解説・保健体育編』の記載事項である。

● 学習指導要領解説の記載事項

□長距離走では，自己のスピードを維持できるフォームでペースを守りながら，一定の距離を走り通し，タイムを短縮したり，競走したりできるようにする。（第1学年及び第2学年）

□長距離走では，自己に適したペースを維持して，一定の距離を走り通し，タイムを短縮したり，競走したりできるようにする。（第3学年）

□走る距離は，1,000〜3,000m程度を目安とするが，生徒の技能・体力の程度や気候等に応じて弾力的に扱うようにする。

□自己に適したペースを維持して走るとは，目標タイムを達成するペース配分を自己の技能・体力の程度に合わせて設定し，そのペースに応じたスピードを維持して走ることである。

● 動きの例

　第1学年と第2学年については，以下のものが例示されている。第3学年は，高等学校入学年次と同じである。

□腕に余分な力を入れないで，リラックスして走る。

□自己に合ったピッチとストライドで，上下動の少ない動きで走る。

□ペースを一定にして走ること。

● 用語解説

□【 ピッチ 】…走っている時の単位時間の足の回転。

□【 ピッチ走法 】…小さい歩幅で，足の回転を速くする。

□【 ストライド 】…走っている時の歩幅。

2 高等学校学習指導要領解説の記載事項

次に,『高等学校学習指導要領解説・保健体育編』である。

● 学習指導要領解説の記載事項

□入学年次では,距離走では,自己に適した**ペース**を維持して,一定の距離を走り通し,タイムを短縮したり,競走したりできるようにする。自己に適したペースを維持して走るとは,目標タイムを達成する**ペース配分**を自己の体力や技能の程度に合わせて設定し,そのペースに応じた**スピード**を維持して走ることである。

□その次の年次以降では,ペースの**変化**に対応して走ることをねらいとしている。ペースの変化に対応して走るとは,自らペース変化のあるペースを設定して走ったり,仲間のペースの変化に応じて走ったりすることである。

□指導に際しては,タイムを短縮したり,競走したりする長距離走の特性や魅力を深く味わえるよう,長距離走特有の技能を高めることに取り組ませることが大切である。そのため,走る距離は,1,000〜3,000m程度を目安とするが,生徒の体力や技能の程度や気候等の状況に応じて**弾力的**に扱うようにする。

● 動きの例

入学年次	□**リズミカル**に腕を振り,**力み**のないフォームで軽快に走ること。 □呼吸を楽にしたり,走りのリズムを作ったりする**呼吸法**を取り入れて走ること。 □自己の体力や技能の程度にあった**ペース**を維持して走ること。
その次の年次以降	□自分で設定したペースの**変化**や仲間のペースに応じて,**ストライド**や**ピッチ**を切り替えて走ること。

3 800m競争

中距離の800m競争についてである。

□400m以下はセパレートレーン,1500m以上はオープンレーンを走る。

⏱□800mの場合,スタートから最初の100mはセパレートレーンで走り,ブレイクライン通過後はオープンレーンを走る。

ハードル走

1 学習指導要領解説の記載事項

● ねらい

中学校1・2年	ハードルを越えながら**インターバル**を一定のリズムで走り，タイムを短縮したり，競走したりできるようにする。
中学校3年，高校入学年次	ハードルを低く素早く越えながらインターバルをリズミカルに**スピード**を維持して走り，タイムを短縮したり，競走したりできるようにする。
高校その次の年次以降	スピードを維持した走りからハードルを低く**リズミカル**に越すこと。

● 距離とハードルの台数

	ハードル走の距離	ハードルの台数
中学校1・2年	50〜80m程度	5〜8台
中学校3年，高校入学年次	50〜100m程度	5〜10台
高校その次の年次以降	50〜100m程度	5〜10台

● 動きの例

中学校1・2年	中学校3年,高校入学年次	高校その次の年次以降
・遠くから踏み切り，勢いよくハードルを走り越すこと ・抜き脚の膝を折りたたんで前に運ぶなどの動作でハードルを越すこと ・インターバルを3又は5歩でリズミカルに走ること	・**スタートダッシュ**から1台目のハードルを勢いよく走り越すこと ・遠くから踏み切り，振り上げ脚をまっすぐに振り上げ，ハードルを低く走り越すこと ・インターバルでは，3又は5歩のリズムを最後のハードルまで維持して走ること	・ハードリングでは，振り上げ脚を振り下ろしながら，反対の脚(抜き脚)を素早く前に引き出すこと ・インターバルで力強く腕を振って走ること ・インターバルでは，3歩のリズムを最後まで維持して走ること ・ハードリングとインターバルの走りを**滑らか**につなぐこと

2 ハードル走の指導の要点とルール

● 指導の要点

□3～5歩のリズムが取りやすいようにハードルの距離を設定。低めのハードルから始める。

□ハードルに対して遠い位置から重心を高くして踏み切る。上体を前傾させる（ディップ姿勢をとる）。

□空中では，振り上げ脚に触れるように，手を前に突き出す。

□踏み切り足を水平にして体に引きつける。

● 失格となる場合

□足または脚がハードルをはみ出て，バーより低い位置を通る。

□手や体，振り上げ脚の上側でハードルを倒す，移動させる。

□他の走者に影響を与えたり妨害したりする行為で，自分や他の走者のレーンのハードルを倒したり移動させたりする。

● 各局面の名称

□スタートから第1ハードルまでをアプローチ，ハードル間をインターバル，最終ハードルからゴールまでをフィニッシュという。

3 ハードル走の規定

● 一般

□各レーンに，次のように10台のハードルを配置する。

□各ハードルは，競技者が走ってくる方向に基底部を向けて置く。

	距離	ハードルの標準の高さ	スタートラインから第1ハードルまでの距離	ハードル間距離（インターバル）	最後のハードルからフィニッシュまでの距離
男子	110m	1.067m	13.72m	9.14m	14.02m
	400m	0.914m	45.00m	35.00m	40.00m
女子	100m	0.838m	13.00m	8.50m	10.50m
	400m	0.762m	45.00m	35.00m	40.00m

● 中学校（国内）

男子	110m	0.914m	13.72m	9.14m	14.02m
女子	100m	0.762m	13.00m	8.00m	15.00m

ここが出る！ ▶▶

・走り幅跳びの動きとして，学習指導要領はどのようなものを例示しているか。各学年のものを識別させる問題が出る。
・走り幅跳びの基本的なルールを知っておこう。計測の仕方，試技の回数，無効試技となる場合に関する文章の正誤判定問題が頻出。

1 走り幅跳びのねらいと指導に際しての留意事項

学習指導要領解説では，以下のように言及されている。

● ねらい

中学校1・2年	助走スピードを生かして素早く踏み切り，より遠くへ跳んだり，競争したりできるようにする。
中学校3年，高校入学年次	助走のスピードとリズミカルな動きを生かして力強く踏み切り，より遠くへ跳んだり，競争したりできるようにする。
高校その次の年次以降	スピードを維持した助走と力強い踏み切りから着地までの動きを滑らかにして跳ぶこと。

● 補説

□ **スピードに乗った助走**とは，最大スピードでの助走ではなく，踏み切りに移りやすい範囲でスピードを落とさないように走ることである。

□ **素早く踏み切って**とは，助走のスピードを維持したまま，走り抜けるように踏み切ることである。

□ **力強く踏み切って**とは，速い助走から適切な角度で跳び出すために地面を強くキックすることである。

⏱ □ **踏み切りから着地までの動きを滑らかにして跳ぶ**とは，踏み切り準備でスピードを落とさないようにして踏み切りに移り，自己に合った空間動作から脚を前に投げ出す着地動作までを一連の動きでつなげることである。

● 指導に際しての留意事項

□ 学習の始めの段階では，踏切線に足を合わせることを強調せずに行うようにし，技能が高まってきた段階で，助走マークを用いて踏切線に足を合わせるようにすること。（中学校第1学年及び第2学年）

2 走り幅跳びの動きの例

中学校1・2年	中学校3年，高校入学年次	高校その次の年次以降
・自己に適した距離，又は歩数の助走をすること ・踏切線に足を合わせて踏み切ること ・かがみ跳びなどの空間動作からの流れの中で着地すること	・踏み切り前3～4歩からリズムアップして踏み切りに移ること ・踏み切りでは**上体を起こして**，地面を踏みつけるようにキックし，**振り上げ脚**を素早く引き上げること ・**かがみ跳び**や**そり跳び**などの空間動作からの流れの中で，脚を前に投げ出す**着地動作**をとること	・加速に十分な距離から，高いスピードで踏み切りに移ること ・**タイミング**よく腕・肩を引き上げ，力強く踏み切ること

⏱ □踏み切りの3～5歩前から助走のリズムを上げ，膝を曲げないようにして足裏全体で踏み切る。振り上げ足を素早く振り上げる。

□着地前に，両足をそろえて膝を伸ばしながら足を前に放り出す。

3 走り幅跳びのルール

計測の仕方は，テーマ18を参照。

● ルール

□競技者が8名以下の場合，各6回ずつ試技を行う。競技者が9名以上の場合，3回試技し，上位8人で残り3回の試技を行う。

● 無効試技

□①足または靴のどこかが踏切線の垂直面より前に出たとき，②踏切板の外側で踏み切ったとき，③着地の時，（反動で）着地点より後方の砂場の外に出たとき，④跳躍が終わった後，砂場の中を歩いて戻ったとき，⑤宙返りのようなフォームで跳んだとき。

● 順位の決定

□6回の試技の中で最もよい記録に基づいて順位をつける。

□同記録の場合は2番目の記録で順位をつける。それでも決まらない場合，3番目の記録で順位をつける。

● 用語解説

□【 そり跳び 】…空中で胸を反らせ，上体を前屈させて着地する。

□【 かがみ跳び 】…空中で振り上げ足を前方に保ち，そのまま着地。

□【 はさみ跳び 】…空中で走るように足を回転させる。

□【 ピット 】…跳躍者が着地するところ（砂場のこと）。

走り高跳び

頻出度 **A**

ここが出る！ ▶▶
・走り高跳びの動きとして，学習指導要領はどのようなものを例示しているか。各学年のものを識別させる問題が出る。
・ルールや無効試技に関する文章の正誤判定問題も多い。試技の結果表を提示して，順位をつけさせる問題も出る。

1 走り高跳びのねらいと指導に際しての留意事項

背面跳びを実施するに際しては，細かな留意事項が示されている。

● ねらい

中学校1・2年	リズミカルな助走から力強く踏み切り，より高いバーを越えたり，競争したりできるようにする。
中学校3年，高校入学年次	リズミカルな助走から力強く踏み切り，はさみ跳びや背面跳びなどの跳び方で，より高いバーを越えたり，競争したりできるようにする。
高校その次の年次以降	スピードのあるリズミカルな助走から力強く踏み切り，滑らかな空間動作で跳ぶこと。

● 補説

□ リズミカルな助走とは，スピードよりもリズムを重視した踏み切りに移りやすい助走のことである。

□ 力強く踏み切ってとは，助走スピードを効率よく上昇する力に変えるために，足裏全体で強く地面を押すようにキックすることである。

● 指導に際しての留意事項

□ 背面跳びは，個々の生徒の技能や器具・用具等の安全性などの条件が十分に整っており，さらに生徒が安全を考慮した段階的な学び方を身に付けている場合に限って実施する。（高等学校入学年次まで）

□ はさみ跳びは，空中におけるはさみ動作を中心に指導するようにする。（高等学校入学年次の次の年次以降）

□ はさみ跳びとは，バーに対して斜め後方や正面から助走し，踏み切った後，振り上げ足から順にバーをまたいで越えるまたぎ跳びや，両足を交差させて大きく開き，上体を横に倒しながらバーを越える正面跳びなどの跳び方のことである。

2　走り高跳びの動きの例

はさみ跳びと背面跳びを扱う。

中学校1・2年	中学校3年，高校入学年次	高校その次の年次以降
・**リズミカル**な助走から力強い踏み切りに移ること ・跳躍の**頂点**とバーの位置が合うように，自己に合った踏切位置で踏み切ること ・**脚と腕のタイミング**を合わせて踏み切り，大きな**はさみ動作**で跳ぶこと	・リズミカルな助走から真上に伸び上がるように踏み切り，はさみ跳びや背面跳びなどの**空間動作**で跳ぶこと ・背面跳びでは踏み切り前の3〜5歩で弧を描くように走り，体を内側に倒す姿勢を取るようにして踏み切りに移ること	・助走では，**リズム**を保ちながらスピードを高め踏み切りに移ること ・踏み切りでは，**振り上げ脚**の引き上げと両腕の引き上げをタイミングよく行うこと ・背面跳びでは，バーの上で上体を反らせる**クリアー**の姿勢をとった後，腹側に体を曲げて，背中でマットに着地すること

3　走り高跳びのルール

跳び方の種類，無効試技となる場合を覚えよう。

● ルール

□助走の後，**片足**で踏み切る。

⏱□どの高さから始めてもよく，途中でパスしてもよいが，3回続けて失敗すると失格となる。

□跳び方には，**ベリーロール**，はさみ跳び，**ロールオーバー**，および背面跳びがある。

● 無効試技

□跳躍後に，**バー**をバー止めから落とす。

□**両足**で踏み切る。

□バーを越える前に，体の一部がバーの**垂直面**より先の地面に触れる。

⏱□跳躍後，バーが風で落ちた場合は**有効**。ただし，跳躍の途中にバーが風で落下した場合は**やり直し**となる。

● 順位の決定

□最もよい記録に基づいて順位を決める。

□同記録の場合は，以下の方法による。

　イ）同じ記録になった高さで，試技回数が**少ない方**が上位。

　ロ）同記録になるまでの**無効試技数**が少ない方が上位。

　ハ）それでも決まらない場合は，1位のみ，同成績の競技者が1回試技を行って決める（ジャンプオフ）。2位以下は，**同順位**とする。

1 高等学校学習指導要領解説の記載事項

三段跳びは，高等学校に固有の種目である。学習指導要領解説でいわれている，ねらいと指導に当たっての配慮事項を覚えよう。

● ねらい

□三段跳びでは，「短い助走から**リズミカルに連続して跳ぶこと**」をねらいとしている。

□「短い助走」とは，踏み切りに余裕をもって移ることができる10～20m程度の距離の助走のことである。

□「リズミカルに連続して跳ぶ」とは，1歩目と2歩目は同じ足，3歩目は反対の足で踏み切る「ホップ－ ステップ－ジャンプ」の連続する3回のバランスを保ち，リズムよく跳ぶことである。

● 指導に際しての配慮事項

□三段跳びは，高等学校で初めて学習することとなるため，「ホップ－ステップ－ジャンプ」の効率的な跳び方に着目するなどして，より遠くへ跳んだり，競争したりする三段跳びの特性や魅力を味わえるよう，入学年次及びその次の年次以降での段階的な指導を工夫することが大切である。

2 三段跳びの動きの例

学習指導要領解説では，以下のようなものが例示されている。

● 入学年次

□空間動作で**上体を起こして**，腕を振って**バランス**をとること。

□ステップ，ジャンプまでつながるように**ホップ**を跳ぶこと。

□空間動作からの流れの中で着地すること。

● その次の年次以降

□短い助走から，スピードを維持して踏み切りに移ること。

□空間動作で，腕と脚を大きく動かしてバランスをとること。

□空間動作からの流れの中で両脚を前に投げ出す着地動作をとること。

● 跳び方

3回の跳躍は，次のように簡単に表現することができよう。

□【　ホップ　】…低く跳び出す。ブレーキがかからないように。

□【　ステップ　】…ホップと同じ足で高く跳ぶ。

□【　ジャンプ　】…ステップの逆の足で踏み切る。全力で高く踏み切る。両脚を前に放り出して着地する❶。

3　三段跳びのルール

三段跳びのルールは，テーマ16でみた走り幅跳びと同じである。踏み切りと計測の仕方について，図を交えながらみてみよう。

● 踏み切り

□踏切線の手前で踏み切り，前方に跳んだ距離を競う。

□踏切線の先の地面に触れたとき，踏切板の外側で踏み切ったときは失格となる。

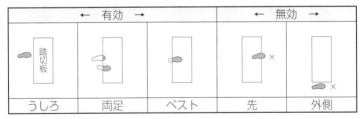

← 　有効　 →			← 　無効　 →	
踏切板			×	×
うしろ	両足	ベスト	先	外側

● 計測

□計測は，踏切板の先から着地跡までの距離を垂直に測る。

□助走路と平行に計測する。

助走路　　計測距離　　直角　　跳躍距離

❶ 3回の跳躍の踏切足は，「左ー左ー右」か「右ー右ー左」となる。

体育

三段跳び

● 体育（陸上競技）

砲丸投げ

ここが出る！ ▶▶

- 砲丸の投射角度や，中高生が用いる砲丸の重さなど，重要な数字を覚えよう。選択肢を与えないで答えさせる問題も多い。
- 砲丸の投げ方や無効試技に関する文章を提示して，正誤を判定させる問題がよく出る。

1 高等学校学習指導要領解説の記載事項

学習指導要領解説でいわれている，ねらいと指導に当たっての配慮事項を覚えよう。

● ねらい

□砲丸投げでは，「立ち投げなどから砲丸を突き出して投げること」をねらいとする。

□「立ち投げ」とは，助走をつけずに，その場で上体を大きく後方にひねり，そのひねり戻しの勢いで砲丸を**突き出す**投げ方のことである。

□「〜など」の例には，**サイドステップ**や**グライド***といった準備動作を用いた投げ方がある。

□「突き出して投げる」とは，砲丸を顎の下に保持した姿勢から，肘や肩に負担がかからないよう直線的に砲丸を**押し出す**動きのことである。

□【 グライド 】…投げる方向に対して後ろ向きに立ち，上体のひねりを利用して投げる。

● 指導に際しての配慮事項

□砲丸の投げ出しの角度は，一般的には，**35〜40度**程度が適切であるが，投げ出しの速度を高めることに着目して，通常より低い角度で指導するようにする。

□砲丸によるけがや事故の防止について事前に十分な指導を行うとともに，個人の技能・体力の程度に応じた十分な練習空間を確保したり，投げる際に仲間に声をかけるようにしたりするなど十分な**安全対策**を講じて実施するようにする。

2 砲丸投げの動きの例

学習指導要領解説では，以下のものが例示されている。

●入学年次

□砲丸を投げ手の**中指付け根**あたりに乗せて保持し，首につけた姿勢を
とること。

□砲丸に効率よく力が伝わるようにまっすぐに**突き出す**こと。

□25～**35**度程度の角度で砲丸を突き出すこと。

●その次の年次以降

□**準備動作**を用いる場合には，準備動作で得た勢いを投げの動作に移す
こと。

□足の地面への押しや上半身の**ひねり戻し**を使って砲丸を突き出すこと。

3 砲丸投げのルール

●ルール

□8名までの場合，各自が6回ずつ試技を行う。9名以上の場合，3回
の試技で上位8名を決め，上位8名で残りの3回の試技を実施。

□砲丸が地上に落下するまで**サークル**から出てはいけない。

□構えたときに砲丸を首か**顎**に付けるかそれに近い状態に保ち，投げる
動作中，手を下におろしてはいけない。

□肩の位置から**片手**だけで投げる。

●無効試技

□動作中に砲丸を**落とす**。

□砲丸を肩の線より後方に引く。

□足留材の上に体の一部が触れる。**サークル**外の地面に触れる。

□投げ終わった後，サークルの横のラインの**前**から出る。

●計測

□サークルに最も近い砲丸の落下跡から，サークルの**内側**までを測る。

□順位の決定方法は，走り幅跳びと同じである。

□砲丸の重さは，中学生男子は**5**kg，中学生女子は**2.721**kg，高校生男
子は**6**kg，高校生女子は**4**kg，一般男子は**7.26**kg，一般女子は**4**kg
である。

□サークルの直径は**2.135**m，投てきの範囲は**34.92**度。

やり投げ・混成競技

頻出度 **C**

- 砲丸投げと同じく,投げるときの角度や投げ方に関する正誤判定問題が多い。「クロスステップ」という用語にも要注意。
- 学習指導要領に記載されてはいないが,走・跳・投の種目を組み合わせた混成競技に関する基礎知識を得ておこう。

1 高等学校学習指導要領解説の記載事項

最後の**やり投げ**も,高等学校に固有の種目である。

●ねらい

□やり投げでは,「短い助走からやりを前方にまっすぐ投げること」をねらいとする。

□「短い助走」とは,2～3回の**クロスステップ**(両脚の交差)のことである。

□「前方にまっすぐ投げる」とは,やりを真後ろに引いた状態から,やりに沿ってまっすぐに力を加えて投げることである。

●指導に際しての配慮事項

□やりの投げ出しの角度は,一般的には,35～40度程度が適切であるが,投げ出しの速度を高めることに着目して,通常より低い角度で指導するようにする。

□やりによるけがや事故の防止について事前に十分な指導を行うとともに,個人の体力・技能の差に応じた十分な練習空間を確保したり,投げる際に仲間に声をかけるようにしたりするなど十分な**安全対策**を講じて実施するようにする。

2 やり投げの動きの例とルール

動きは,学習指導要領解説で例示されているものである。

●入学年次

□柔らかくやりを握り,保持すること。

□やりを後方に引いた姿勢で**クロスステップ**を行い,投げの動作に移る

こと。

□25〜35度程度の角度でやりを投げること。

● **その次の年次以降**

□助走で得た勢いを投げの動作に移すこと。

□投げの動作では、投げる側の腕を大きく振ること。

● **施設**

□やり投げの助走路の長さは、30〜36.5m。幅は4m。

□投げる範囲は約29度。

□やりの頭部が他のどの部分よりも先に地面に落下した場合のみ有効となる。

3 混成競技

混成競技とは、これまでみてきた走・跳・投の種目を組み合わせて行い、総得点を競うものである[1]。

● **高等学校男子**

□高等学校男子の場合、8種競技が実施される。

□8種目を、連続する2日間で、以下の順序のとおりに実施する。

第1日目 100m、走り幅跳び、**砲丸投げ**、400m

第2日目 110mハードル、**やり投げ**、走り高跳び、1,500m

● **高等学校女子**

□高等学校女子の場合、7種競技が実施される。

□7種目を、連続する2日間で、以下の順序のとおりに実施する。

第1日目 100mハードル、走り高跳び、砲丸投げ、200m

第2日目 走り幅跳び、やり投げ、800m

● **中学校**

□中学校の場合、男女とも、4種競技が実施される。

□4種目を、以下の順序で、1日もしくは2日かけて実施する。

男子 110mハードル、砲丸投げ（4kg[2]）、走り高跳び、400m

女子 100mハードル、**走り高跳び**、砲丸投げ（2.721kg）、200m

● **採点**

□各種目の得点は、**混成競技採点表**に基づいてつけられる。

[1] 財団法人・陸上競技連盟「陸上競技ルールブック2024」を参照。

[2] 単独種目の場合の重量（5kg）と異なることに要注意。

ここが出る! ▶▶

・水泳で取り上げる4種目を覚えよう。クロール，平泳ぎ，背泳ぎ，バタフライである。複数の泳法も取り上げられる。

・実際の授業では，この中から選択履修させることになる。その規定を押さえよう。事故防止の事項は必修であることに注意。

1 水泳の内容（中学校第1・2学年）

● 知識及び技能

□(1) 次の運動について，記録の向上や競争の楽しさや喜びを味わい，水泳の特性や成り立ち，技術の名称や行い方，その運動に関連して高まる体力などを理解するとともに，泳法を身に付けること。

ア クロールでは，手と足の動き，呼吸のバランスをとり速く泳ぐこと。

イ 平泳ぎでは，手と足の動き，呼吸のバランスをとり長く泳ぐこと。

ウ 背泳ぎでは，手と足の動き，呼吸のバランスをとり泳ぐこと。

エ バタフライでは，手と足の動き，呼吸のバランスをとり泳ぐこと。

● 思考力，判断力，表現力等

□(2) **泳法などの自己の課題を発見し**，合理的な解決に向けて運動の取り組み方を工夫するとともに，自己の考えたことを他者に伝えること。

□**泳法などの自己の課題を発見し**とは，水泳の特性を踏まえて，泳法などの改善についてのポイントを発見したり，仲間との関わり合いや健康・安全などについての自己の取り組み方の課題を発見したりすることを示している。

● 学びに向かう力，人間性等

□(3) 水泳に積極的に取り組むとともに，勝敗などを認め，ルールやマナーを守ろうとすること，分担した役割を果たそうとすること，一人一人の違いに応じた課題や挑戦を認めようとすることなどや，水泳の事故防止に関する心得を遵守するなど健康・安全に気を配ること。

2 水泳の内容（中学校第3学年・高等学校入学年次）

第3学年になると，複数の泳法やリレーも加わる。

●知識及び技能

□(1) 次の運動について，記録の向上や**競争**の楽しさや喜びを味わい，技術の名称や行い方，**体力**の高め方，**運動観察**の方法などを理解するとともに，効率的に泳ぐこと。

　　ア　クロールでは，手と足の動き，**呼吸**のバランスを保ち，安定したペースで**長く泳いだり速く泳いだり**すること。

　　イ　平泳ぎでは，手と足の動き，呼吸の**バランス**を保ち，**安定**したペースで長く泳いだり速く泳いだりすること。

　　ウ　背泳ぎでは，手と足の動き，呼吸のバランスを保ち，安定したペースで泳ぐこと。

　　エ　**バタフライ**では，手と足の動き，呼吸のバランスを保ち，安定したペースで泳ぐこと。

　　オ　複数の泳法で泳ぐこと，又は**リレー**をすること。

●思考力，判断力，表現力等

□(2) **泳法**などの自己や仲間の課題を発見し，**合理的**な解決に向けて運動の取り組み方を工夫するとともに，自己の考えたことを**他者**に伝えること。

●学びに向かう力，人間性等

□(3) 水泳に**自主的**に取り組むとともに，勝敗などを冷静に受け止め，ルールやマナーを大切にしようとすること，自己の**責任**を果たそうとすること，一人一人の違いに応じた**課題**や挑戦を大切にしようとすることなどや，水泳の事故防止に関する心得を遵守するなど健康・安全を確保すること。

□水泳の事故防止に関する心得とは，自己の**体力**や技能の程度に応じて泳ぐ，無理な**潜水**は意識障害の危険があるため行わない，溺れている人を見付けたときの対処としての**救助**の仕方と留意点を確認するなどといった健康・**安全**の心得を示している。

⏱ □種目の選択は以下のとおり。

第1学年及び第2学年	ア又はイを含む2種目を選択。
第3学年	ア〜オから選択。

　□安全を確保するための泳ぎを加えて履修させることができる。

⏱ □水泳の指導については，適切な水泳場の確保が困難な場合にはこれを
　　扱わないことができるが，水泳の事故防止に関する心得については，
　　必ず取り上げること。

4　水泳の内容（高等学校入学年次の次の年次以降）

●知識及び技能

⏱ □(1)　次の運動について，記録の向上や競争及び自己や仲間の課題を
　　解決するなどの多様な楽しさや喜びを味わい，技術の**名称**や行い
　　方，**体力の高め方**，課題解決の方法，**競技会の仕方**などを理解す
　　るとともに，自己に適した**泳法**の効率を高めて泳ぐこと。
　　ア　**クロール**では，手と足の動き，呼吸のバランスを保ち，伸び
　　　のある動作と安定したペースで長く泳いだり速く泳いだりする
　　　こと。
　　イ　**平泳ぎ**では，手と足の動き，呼吸のバランスを保ち，伸びのあ
　　　る動作と安定したペースで長く泳いだり速く泳いだりすること。
　　ウ　**背泳ぎ**では，手と足の動き，呼吸のバランスを保ち，安定し
　　　たペースで長く泳いだり速く泳いだりすること。
　　エ　**バタフライ**では，手と足の動き，呼吸のバランスを保ち，安
　　　定したペースで長く泳いだり速く泳いだりすること。
　　オ　複数の泳法で長く泳ぐこと又は**リレー**をすること。

●思考力，判断力，表現力等

　□(2)　生涯にわたって運動を豊かに継続するための自己や仲間の課題
　　を発見し，合理的，計画的な解決に向けて取り組み方を工夫する
　　とともに，自己や仲間の考えたことを他者に**伝える**こと。

●学びに向かう力，人間性等

□(3)　水泳に**主体的**に取り組むとともに，勝敗などを冷静に受け止め，ルールや**マナー**を大切にしようとすること，役割を積極的に引き受け自己の責任を果たそうとすること，一人一人の違いに応じた課題や挑戦を大切にしようとすることなどや，水泳の**事故防止**に関する心得を遵守するなど健康・**安全**を確保すること。

5　水泳の内容の取扱い（高等学校）

中学校と同様，種目を選択履修することとされる。

●原文

□「D水泳」の(1)の運動については，アからオまでの中から**選択して履修**できるようにすること。なお，「保健」における**応急手当**の内容との関連を図ること。

□泳法との関連において**水中からのスタート**及びターンを取り上げること。なお，入学年次の次の年次以降は，安全を十分に確保した上で，学校や生徒の実態に応じて**段階的**な指導を行うことができること。

●補説

□入学年次の次の年次以降は，履修できる泳法などの運動種目の数については，特に制限を設けていないが，指導内容の習熟を図ることができるよう，十分な時間を配当すること。また，生徒の体力や技能の程度に応じて**健康・安全**の確保に配慮した上で，生徒が**選択**できるようにすることが大切である。

□スタートの指導については，**事故防止**の観点から，入学年次においては**水中からのスタート**を取り扱うこととする。なお，入学年次の次の年次以降においても原則として**水中からのスタート**を取り扱うこととするが，「**安全**を十分に確保した上で，学校や生徒の実態に応じて段階的な指導を行うことができること」としている。

□水泳では，**バディシステム**などを適切に活用し，安全かつ効率的に学習を進めることが大切であり見学の場合も，状況によっては，安全の確保や練習に対する**協力者**として参加させたりするなどの配慮をするようにする。

ここが出る！ ▶▶

・学習指導要領解説でいわれている，クロールの動きの例について，各段階のものを識別させる問題が頻出。

・クロールの泳法の空欄補充問題がよく出る。文部科学省の手引の記述を読んでおこう。

1 クロールの動きの例

●**中学校1・2年**

□一定のリズムの強いキック。

□肘を曲げ，S字やI字を描くようなプル。

□プルとキック，ローリングの動作に合わせた呼吸動作。

●**中学校3年・高校入学年次**

□リラックスして前方へ動かす**リカバリー**。

□泳ぎの速さに応じた大きさの呼吸動作。

●**高校その次の年次以降**

□手を遠く前方に伸ばし，加速するようにかく**プル**。

□流線型の姿勢を維持し，しなやかで**リズミカル**なキック。

□肩の**ローリング**を使った最小限の動きの呼吸動作。

●**補足**

⏱□中学校1・2年は25〜50m，中学校3年と高等学校は50〜200m程度。

□【 **ローリング** 】…体の中心線を軸にして左右に回転する動き。

□【 **ストリームライン** 】…水の抵抗が少ない姿勢。

2 クロールの泳法

文部科学省「水泳指導の手引」（2014年）の記載事項がよく出る。

●**概念**

⏱□クロールは，全身をまっすぐ伸ばして水面に伏し浮き，脚を**左右交互**に上下させ，腕は左右交互に水をかいて水面上に**前方**に戻し，顔を横に上げて呼吸しながら泳ぐ。

●**脚の動作（キック）**

□左右の脚の幅は，親指が触れ合う程度にし，踵を10cm程度離す。

□上下動の幅は，30〜40cm 程度に動かす。

□けり下ろし動作は，膝を柔らかくしなやかに伸ばした脚を，太ももから徐々に足先へ力が加わるように力強く打つようにする。

□けり終わった後，上方に戻す動作は，脚を伸ばして太ももから上げるようにする。

● **腕の動作（プル）**

□左右の腕は，一方の手先が水中に入る場合，他方の腕は肩の下までかき進める。

□手先を水中に入れる場合，手のひらを斜め外向き（45°程度）にし，頭の前方，肩の線上に入れる。

□入水後，腕を伸ばし，手のひらを平らにして水を押さえ，水面下30cm程度まで押さえたら腕を曲げ，手のひらを後方に向けかき始める。

□手先が太ももに触れる程度まで，手のひらと前腕で体の下をかき進める。

□腕は，肘から水面上に抜き上げて手首の力を抜き，手先は水面上を一直線に前方へ運ぶように戻す。

● **呼吸法**

□呼気は，水中で，鼻と口で行う。徐々に吐き出し始め，最後は力強く吐き出す。

□吸気は，体の中心を軸にして顔を横に上げ，口で行い，素早く，大きく吸い込む。

□一方の腕で，体の下をかく間に呼気し，水面上で抜き上げながら顔をだし，肩の横まで戻す間に吸気する。呼気から吸気は連続させる。

● **キックとプルのタイミング**

□腕のかき始めとかき終わりの動作時に，それぞれ同一側の脚のけり下ろし動作を合わせる。

3 クロールの指導法

上記の手引きでいわれている基本事項を示す。

□ばた足から腕の練習に入り，面かぶりクロールでよく進むようになったら，呼吸を組み合わせてクロールを完成させる。

□ばた足がうまくできない者には，脚を伸ばして足首の力を抜いた状態をとらせ，ももの部分を支えて上下に動かすなど適切な補助によって，太ももからの動きを覚えさせる。

平泳ぎ

頻出度 **A**

- 学習指導要領解説でいわれている，平泳ぎの動きの例について，各段階のものを識別させる問題が頻出。
- 平泳ぎについては，泳法に細かい規定がある。この点に関する正誤判定問題も出る。

1 平泳ぎの動きの例

●中学校1・2年

☐蹴り終わりで長く伸びるキック。

☐逆ハート型を描くようなプル。

☐かき終わりに合わせた呼吸。

☐蹴り終わりに合わせたグライド。

●中学校3年・高校入学年次

☐逆ハート型を描くような強いプル。

☐かき終わりに合わせた呼吸。

☐1回のストロークで大きく進むこと。

●高校その次の年次以降

☐素早く手を前に戻すリカバリー。

☐抵抗の少ない足の引き付けからのキック。

☐顎を引いた呼吸。

☐蹴り終わりに合わせて，流線型の姿勢を維持して大きく伸びること。

●距離

☐中学校1・2年は50〜100m，中学校3年と高等学校は50〜200m程度。

2 平泳ぎの泳法

文部科学省「水泳指導の手引」（2014年）の記載事項がよく出る。

●概念

☐平泳ぎは，全身をまっすぐ伸ばして水面に伏し浮き，両手のひらを下に向けて胸の前からそろえて前方に出し，円を描くように左右の水をかき，脚の動きは足の裏で水をとらえ左右後方に水を押し挟み，顔を前に上げて呼吸をしながら泳ぐ。

● 脚の動作（キック）

□両足先をそろえて伸ばした状態から，両膝を引き寄せながら肩の幅に開き，同時に足の裏を上向きにして踵を尻の方へ引き寄せる。

□けり始めは，親指を外向きにし，土踏まずを中心とした足の裏で水を左右後方に押し出し，膝が伸びきらないうちに両脚で水を押し挟み，最後は両脚を揃えてける。

□けり終わったら，惰力を利用してしばらく伸びをとる。

● 腕の動作（プル）

□両手のひらを下向きにそろえ，腕の前，あごの下から水面と平行に前方へ出す。

□両手のひらを斜め外向きにして左右に水を押し開きながら腕を曲げ，手のひらと前腕を後方に向ける。

□両肘が肩の横にくるまで手をかき進めたら，腕で内側後方に水を押しながら胸の前で揃える。

● 呼吸法

□呼気は，水中で，鼻と口で行う。徐々に吐き出し始め，最後は力強く吐き出す。

□吸気は，顔を前に上げ，口で行う。素早く，大きく吸い込む。

□腕を前に伸ばしながら呼気し，かき終わりと同時に口を水面上に出して吸気する。呼気から吸気は連続させる。

● キックとプルのタイミング

□腕で水をかく間に脚を曲げて踵を引き寄せ，腕を前方に差し出す間に足裏で水をける。

3 平泳ぎのルール

□うつ伏せの姿勢を保ち，仰向けになってはならない。

□泳ぎのサイクルは一かきと一蹴りの組合せで行う。

□両腕と両脚の動作は，同時に行う。

□足は水面上に出てもよいが，下方へのバタフライキックは不可。

⏱□スタート，ターンの後は，水中で一かき一蹴りができ，一蹴りの前にバタフライキックも1回できる。

⏱□ターンとゴールのタッチは，両手が同時にかつ離れた状態で行う。水面の上下どちらでもよい。

テーマ 24　● 体育（水泳）
背泳ぎ

頻出度 **C**

ここが出る! ▶▶
・学習指導要領解説でいわれている，背泳ぎの動きの例について，各段階のものを識別させる問題が頻出。数字にも要注意。
・背泳ぎについても，泳法に細かい規定がある。この点に関する正誤判定問題も出る。

1　背泳ぎの動きの例

各学年段階の動きの区別をつけよう。『学習指導要領解説』を参照。

●中学校1・2年
□両手を頭上で組んで，背中を伸ばし，水平に浮いてキック。
□肘を肩の横で曲げたプル。
□手と肘を高く伸ばした直線的なリカバリー。
□プルとキックの動作に合わせた呼吸。

●中学校3年・高校入学年次
□肘を伸ばし，肩の延長線上に小指側からのリカバリー。
□肩のスムーズなローリング。

●高校その次の年次以降
□肩のローリングによって手のひらをやや下側に向けて水をとらえ，肘を曲げながらかくプル。
□力を抜き肩のローリングを使ってリズムよく行うリカバリー。
□水平姿勢を維持し，脚全体をしなやかに使ってけり上げ，脚全体を伸ばして蹴り下ろすキック。
□ストロークに合わせてリズムよく行う呼吸。

●距離
□中学校は25～50m，高等学校は50～100mが目安。

2　背泳ぎの泳法

●概念
□背泳ぎは，全身を上向きにまっすぐ伸びて浮き，脚を左右交互に上下させ，腕は左右交互に水をかいて水面上を進行方向に戻し，呼吸をしながら泳ぐ。

●脚の動作（キック）

□左右の脚の幅は，親指が触れ合う程度にし，踵を10cm程度離す。

□上下動の幅は，30〜40cm程度にする。

□けり上げの動作は，足の甲を中心にして行い，膝と足首で水をけるようにして力強くけり上げる。

□けり上げた後，下方に下ろす動作は，他方の脚のけり上げ動作の反動で，脚を伸ばして自然におこなう。

●腕の動作（プル）

□左右の腕は，一方の手先を水中に入れるのに合わせて，他の腕を水面上に抜き上げる。

□手先は，頭の前方，肩の線上に小指側から入水させ，手のひらで水面下20〜30cm程度まで水を押さえたら，肘を下方へ下げながら手のひらを後方に向ける。

□腕は，手のひらが水面近くを太ももに触れる程度までかき進め，最後は手のひらを下にして腰の下に押し込むようにする。

□腰の下へ水を押し込むと同時に同一側の肩を水面上に上げ，腕を伸ばし手を親指側から抜き上げて体側上を大きく回して進行方向へ戻す。

●呼吸法

□呼気は鼻と口，吸気は口で行う。（特に，呼気は鼻を中心に行う。）

□常に顔が水面に出ているので呼吸は自由にできるが，腕の動作に合わせて呼吸をする。

□一方の腕で水をかく間に呼気し，水面上で抜き上げて肩の真上に戻すまでの間に吸気する。呼気から吸気は連続させる。

●キックとプルのタイミング

□腕のかき始めとかき終わりの動作時に，それぞれ同一側の脚のけり下ろし動作を合わせる。

3 背泳ぎのルール

□ターンの動作中を除き，常に仰向けの姿勢を保って泳ぐ。頭部を除き，肩の回転角度が水面に対し90度未満であること。

□ターンの間に，体の一部が壁につかなければならない。

□ターンの動作中は，仰向けの姿勢を崩してもよい。

⏱ □スタートやターンの後，壁から15m以内に頭を水面上に出す。

バタフライ

ここが出る！ ▶▶

・学習指導要領解説でいわれている，バタフライの動きの例について
て，各段階のものを識別させる問題が頻出。数字にも要注意。
・バタフライについては，泳法のイメージをつかみにくいかと思う。
文科省の手引に当たって，泳法の写真も見ておきたい。

1 バタフライの動きの例

各学年段階の動きの区別をつけよう。『学習指導要領解説』を参照。

● **中学校1・2年**

□気をつけの姿勢やビート板を用いたドルフィンキック。

□キーホールの形を描くようなプル。

□手の入水時とかき終わりの時に行うキック。

□プルのかき終わりとキックを打つタイミングで行う呼吸。

● **中学校3年・高校入学年次**

□手のひらが胸の前を通るキーホールの形を描くロングアームプル。

□手の入水時のキック，かき終わりの時のキック及び呼吸動作を一定の
リズムで行うコンビネーション。

● **高校その次の年次以降**

□力を抜いて水面近くを横から前方に運ぶリカバリー。

□うねり動作に合わせたしなやかなドルフィンキック。

□ストローク動作に合わせた低い位置での呼吸。

● **距離**

□中学校は25〜50m，高等学校は50〜100mが目安。

2 バタフライの泳法

● **概念**

□バタフライは，全身をまっすぐ伸ばして水面に伏し浮き，体のうねり
を加えて脚を左右同時に上下させ，腕で左右同時に水をかいて水面上
を前方に戻し，顔を前に上げて呼吸しながら泳ぐ。

● **脚の動作（キック）**

□左右の脚の幅は，親指が触れ合う程度にし，踵を10cm程度離す。

□上下動の幅は，20〜40cm 程度に動かす。

□けり下ろし動作は，腰，膝を柔らかく伸ばした脚を，太ももから徐々
に足先に力が加わるように力強く打ち，その反動で腰を水面近くに近
づける。

□けり終わった後，上方へ戻す動作は，水面に近づけた腰を沈めながら
伸ばし，その反動で脚を伸ばして戻す。

● 腕の動作（プル）

□手のひらを斜め外向き（45°程度）にして頭の前方，肩幅に手先を入水
する。

□入水後，腕を伸ばし，手のひらを平らにして水を押さえながら横に開
き出し，腕を曲げ始める。

□手のひらと前腕で水をかき，左右の手先は胸の下で接近させ，太もも
に触れるまでかき進める

□腕は，肘から水面上に抜き上げ，手首を脱力させ，手先が水面上を一
直線に前方へ運ぶように戻す。

● 呼吸法

□呼気は，水中で，鼻と口で行う。徐々に吐き出し始め，最後は力強く
吐き出す。

□吸気は，顔を前に上げ，口で行う。素早く，大きく吸い込む。

□両腕のかき始めからかき終わりにかけて呼気し，両腕を水面上に抜き
上げる動作から，肩の横に戻すまでの間に吸気する。呼気から吸気は
連続させる。

● キックとプルのタイミング

□手先の入水時と腕が肩の下をかき進めるときに，それぞれ脚のけりの
動作を合わせる。

3 バタフライのルール

□折り返し中を除き，仰向けになってはならない。

□両足の上下動作は同時に行わなければならない。

□スタートやターンの後，水中での数回の蹴りと一かきが許される。壁
から15m以内に頭を水面上に出す。

□ターンないしはゴールのタッチは，水面の上もしくは下で，両手同時
に壁に触れる。

体
育

バタフライ

● 体育（水泳）

スタート・ターン

ここが出る！▶▶

・スタートは，中学校は「水中からのスタート」，高校は「段階的な指導による高い位置からのスタート」という点がポイントである。
・学習指導要領解説でいわれている，スタート・ターンの動きの例について，各段階のものを識別させる問題がよく出る。

1 スタート

●中学校

□スタートの局面として，「壁に足をつける」，「力強く蹴りだす」，「泳ぎ始める」といった各局面を各種の泳法に適した，手と足の動きで素早く行い，これらの局面を一連の動きでできるようにする。

□水中からのスタートとは，水中でプールの壁を蹴り，抵抗の少ない流線型の姿勢で，浮き上がりのための**キック**を用いて，より速い速度で泳ぎ始めることができるようにすることである。

●高等学校

□スタートの指導については，事故防止の観点から，入学年次においては**水中からのスタート**を取り扱うこととしている。なお，入学年次の**次の年次**以降においても原則として水中からのスタートを取り扱うこととするが，「安全を十分に確保した上で，学校や生徒の実態に応じて段階的な指導を行うことができること」としている。

□入学年次の次の年次以降における段階的な指導とは，「水中から」，「プールサイドで座位から」，「プールサイドでしゃがんだ姿勢や立て膝から」，「プールサイドで中腰から」など，生徒の体力や技能の程度に応じて，段階的に発展させるなどの配慮を行うことである。

2 ターン

□ターンの局面として，「壁に手や足をつける」，「抵抗を減らすために，体を丸くしたり膝を引き付けたりして回転を行う」，「壁を蹴り泳ぎ始める」などの各局面を各種の泳法に適した手と足の動きで素早く行うとともに，これらの局面の一連の動きを滑らかにできるようにする。

□クイックターンを取り扱う場合は**水深**に十分注意して行う。またオー

プンターンでは，長く泳ぐ際は呼吸の入れ方を指導する。

□ターンは，プールの壁から5m程度離れた場所から準備を始める。視覚障害のある選手の場合，壁が近づいていることを**タッピングバー**で知らせる。

3 スタート・ターンの動きの例

上段はスタート，下段はターンである。

中学校1・2年	中学校3年・高校入学年次	高校その次の年次以降
・足を壁につけた姿勢 ・合図と同時に壁を蹴ること ・抵抗の少ない流線型の姿勢 ・スターティンググリップをつかんだ姿勢	・合図と同時に力強く壁を蹴ること ・抵抗の少ない流線型の姿勢 ・各泳法に適した水中における一連の動き	・各泳法に適した準備の姿勢から，合図と同時に力強く蹴りだすこと ・流線型の姿勢を維持し，失速する直前に力強いキックを始めること ・各局面を一連の動きで行うこと
・泳法に応じたタッチ ・膝を抱えるようにして体を反転し蹴りだすターン	・5m程度離れた場所からタイミングを計ること ・泳ぎの速度を落とさないタッチ ・膝を抱えるようにして体を反転し蹴りだすターン	・泳ぎのスピードを維持しての壁タッチ ・ターンの行い方に応じた抵抗の少ない回転 ・壁を蹴りながら水中で体を水平にすること ・各局面を一連の動きでつなげること

4 スタートのルール

日本水泳競技連盟「競泳競技規則」の記述である。

□自由形・平泳ぎ・バタフライ・個人メドレーのスタートは飛び込みによって行う。

1）審判長の長いホイッスルにより競技者は**スタート台**に上がる。

2）出発合図員の号令によって，競技者はスタート台前方に少なくとも一方の足の指を掛け，速やかにスタートの姿勢をとる。その際，両手の位置に関する制限はない。

3）全ての競技者が静止したら，出発合図員はスタートの合図をする。

□背泳ぎ・メドレーリレーのスタートは水中から行う。

□出発合図の前にスタートした競技者は失格となる。失格が宣告される前にスタートの合図が発せられていた場合，競技は続行し，**フォルススタート**した競技者は競技終了後失格となる。

安全管理・事故防止

ここが出る! ▶▶

- 公的文書で規定されている，プールの水質の基準について押さえよう。基準値の空欄補充問題がよく出る。
- 水泳の事故防止の心得に関する正誤判定問題，さらには論述の問題も散見される。公的な見解がどういうものか知っておこう。

1 施設・設備の安全管理

● 水泳プールの水質（遊離残留塩素とpH値）

検査項目	基準
□遊離残留塩素	0.4mg／L以上であること。（1.0mg／L以下であることが望ましい。）
□pH値	5.8以上8.6以下であること。

出所：文部科学省「学校環境衛生基準」（2024年改訂版）

● プールの排水口等

□プールの利用期間前に，排（環）水口の蓋の設置の有無を確認し，蓋がない場合及び固定されていない場合は，早急にネジ・ボルト等で固定するなどの改善を図るほか，排（環）水口の吸い込み防止金具についても丈夫な格子金具とするなどの措置をし，いたずらなどで簡単に取り外しができない構造とすること。（2017年4月，スポーツ庁通知）

2 水泳指導の安全管理・事故防止

文部科学省「水泳指導の手引（三訂版）」（2014年3月）による。

● 準備運動

□すべての部分の屈伸，回旋，ねん転などを取り入れた運動を行う。

□心臓に遠い部分の運動から始め，簡単なものから複雑なものへ，最後は呼吸運動で終わるという手順が一般的である。

● 人員点呼（バディシステム）

□【 **バディシステム** 】…2人1組の組をつくらせ，互いに**安全**を確かめさせる方法のこと。

□教師の笛の合図と，「バディ」という号令があったとき，互いに片手をつなぎ合わせて挙げさせ点呼をとる。

□バディシステムは，①互いに進歩の様子を確かめ合う，②欠点を矯正する手助けとする，③人間関係を深め合う，ということも意図する。

□泳力の程度が同じくらいの者の組合せにすると効果的。

●監視

□指導者と学習者相互による安全対策のほか，飛び込み事故，溺水事故，排（環）水口における吸い込み事故，プールサイドでの転倒事故等，プール内での事故を防止するため，監視の位置，監視の要点などについて事前に検討を加え十分確認をしておかなければならない。

□監視者の位置は，プール全体を見わたすことができ，プールの角部分などが死角にならないようなところとする。

□水面上はもちろんのこと，水底にも視線を向けること。

□監視員は水着を着用していること。

●着衣のまま水に落ちた場合の対処

□着衣のままでの水泳では，速く泳ぐことを強調することは危険であり，長い間浮くこと（浮き身）の練習が大切であることを認識させる。

□はじめは，泳法などは自由とし，どのように浮いたり泳いだりするのが合理的であるかを身をもって体験させる。

□次に，平泳ぎ，横泳ぎ，エレメンタリーバックストローク（仰向きでの平泳ぎ）などを用いてできるだけ浮力を利用してゆっくりと泳がせる。

3 学校屋外プールにおける熱中症対策

日本スポーツ振興センターの資料による。

●水中での活動の留意点

□水温が中性水温（33℃〜34℃）より高い場合は，水中でじっとしていても体温が上がるため，体温を下げる工夫をする。

□体温を下げるには，プール外の風通しのよい日陰で休憩する，シャワーを浴びる，風に当たる等が有効である。

□口腔内が水で濡れるため，のどの渇きを感じにくくなるので，適切な水分補給を行う。

●プールサイドでの活動（見学・監視を含む）の留意点

□気温やWBGT値（暑さ指数）を考慮し，こまめに日陰で休憩する，活動時間を短くするなど，活動内容を工夫する。

ここが出る! ▶▶

・公的な水泳のルールを知っておこう。メドレーの泳法の順序や，失格となる行為に関する正誤判定問題が多い。

・水泳に関する重要用語を押さえよう。選択肢を与えないでズバリ書かせる問題も多い。しっかり覚えること。

1 複数の泳法（高等学校）

● 内容

□入学年次の「複数の泳法で泳ぐ」とは，これまで学習したクロール，平泳ぎ，背泳ぎ，バタフライの4種目から2～4種目を選択し，続けて泳ぐことである

□その次の年次以降の「複数の泳法で長く泳ぐ」とは，これらに加えて，種目の選択を増やしたり，選択した泳法で長く泳ぐことができるようにすることである。

● 指導の際の配慮事項

□入学年次では，水中からのスタートとの関連から，引き継ぎは水中で行わせる。その次の年次以降では，リレーのスタートや引き継ぎについては，各泳法のスタートの行い方に準ずる。

□複数の泳法で泳ぐ場合の距離は50～100m（入学年次は25～50m）程度を目安とし，リレーの距離はチームで100～200m程度を目安とする。

2 水泳のルール

日本水泳連盟「競泳競技規則」（2023年4月1日）を参照。

● 自由形のルール

□自由形はどのような泳ぎ方で泳いでもよい。

□メドレーリレーおよび個人メドレー競技においては，自由形は，バタフライ・平泳ぎ・背泳ぎ以外の泳法でなければならない。

□ターン，ゴールタッチでは，泳者の身体の一部が壁に触れること。

□スタート後，折り返し後は，体が完全に水没してもよい距離15mを除き，競技中は泳者の体の一部が水面上に出ていなければならない。

□スタート，ターンの後，…壁から15m地点までに頭は水面上に出ていなければならない。

● メドレーの泳法の順序

| □個人メドレー | バタフライ→背泳ぎ→平泳ぎ→自由形 |
| □メドレーリレー | 背泳ぎ→平泳ぎ→バタフライ→自由形 |

● 競技中のルール

□競技中にプールの底に立ったり，歩いたり，蹴ったりしてはならない。ただし，**自由形競技**またはメドレー競技の自由形に限り，プールの底に**立つ**ことは失格とならない(歩くことは許されない)。

□競技中に**レーンロープ**を引っ張ってはならない。

□競技中にその速力・**浮力**または耐久力を助けるような仕掛けもしくは水着を使用したり，着用してはならない。

□**ペースメーカー**となる装置の使用や，**サイドコーチ**等のペースメーカーとなるような行為はできない。

● 歴史

□競泳競技は，1837年に**イギリス**において始まった。

□1900年のパリオリンピックで，自由形から**背泳ぎ**が独立した。

3 水泳に関する重要用語

文部科学省「水泳指導の手引」(2004年)の巻末の用語集より引用。

□【 **ウォーターポロ** 】…水球のこと。7人ずつのチームが，相手方のゴールにボールを投げ入れて点数を競う。

□【 **グライド・ストローク** 】…クロールでのストローク法。

□【 **コンビネーション** 】…手・足・呼吸の動作を調和させて泳ぐ。

□【 **ストローク** 】…腕で水をかくこと。

□【 **ドルフィンキック** 】…バタフライのキック法。

□【 **ハイエルボー** 】…肘を手のひらより高く保つこと。

□【 **パルム** 】…プルの練習用具。手のひらに中指で挟んで使う。

□【 **フォルススタート** 】…出発の合図前に飛び出すこと。フォルススタートをすると失格となる。

□【 **ボビング** 】…上下に浮き沈みすること。呼吸の練習法。

□【 **リカバリー** 】…かき終わった腕を次のかきのため前方に戻す。

□【 **リリース** 】…かき終わった腕を水中から抜き上げること。

ここが出る！ ▶▶

・球技は，ゴール型，ネット型，ベースボール型に分かれる。この大枠を押さえよう。

・それぞれの型で取り上げる具体的な種目として，学習指導要領ではどのようなものが例示されているか。

1 球技の内容（中学校第1・2学年）

球技は，3つの型に分かれる。

●知識及び技能

□(1) 次の運動について，勝敗を競う楽しさや喜びを味わい，球技の特性や成り立ち，技術の名称や行い方，その運動に関連して高まる体力などを理解するとともに，基本的な技能や仲間と連携した動きでゲームを展開すること。

　ア　ゴール型では，ボール操作と空間に走り込むなどの動きによってゴール前での攻防をすること。

　イ　ネット型では，ボールや用具の操作と定位置に戻るなどの動きによって空いた場所をめぐる攻防をすること。

　ウ　ベースボール型では，基本的なバット操作と走塁での攻撃，ボール操作と定位置での守備などによって攻防をすること。

●思考力，判断力，表現力等

□(2)　攻防などの自己の課題を発見し，合理的な解決に向けて運動の取り組み方を工夫するとともに，自己や仲間の考えたことを他者に伝えること。

●学びに向かう力，人間性等

□(3)　球技に積極的に取り組むとともに，**フェアなプレイを守ろうとする**こと，作戦などについての話合いに参加しようとすること，一人一人の違いに応じたプレイなどを認めようとすること，仲間の学習を援助しようとすることなどや，健康・安全に気を配ること。

□フェアなプレイを守ろうとするとは，球技は，**チーム**や個人で勝敗を競う特徴があるため，規定の範囲で勝敗を競うといったルールや相手を尊重するといった**マナー**を守ったり，相手や仲間の健闘を認めたりして，**フェア**なプレイに取り組もうとすることを示している。

□そのため，**ルール**や**マナー**を守ることで球技独自の楽しさや安全性，公平性が確保されること，また，相手や仲間のすばらしいプレイやフェアなプレイを認めることで，互いを**尊重**する気持ちが強くなることを理解し，取り組めるようにする。

2 球技の内容（中学校第3学年・高等学校入学年次）

●知識及び技能

□(1) 次の運動について，勝敗を競う楽しさや喜びを味わい，技術の名称や行い方，体力の高め方，運動観察の方法などを理解するとともに，作戦に応じた技能で仲間と連携しゲームを展開すること。

　ア　**ゴール**型では，安定したボール操作と空間を作りだすなどの動きによってゴール前への侵入などから攻防をすること。

　イ　**ネット**型では，役割に応じたボール操作や**安定**した用具の操作と連携した動きによって空いた場所をめぐる攻防をすること。

　ウ　**ベースボール**型では，安定したバット操作と**走塁**での攻撃，ボール操作と連携した守備などによって攻防をすること。

●思考力，判断力，表現力等

□(2) 攻防などの自己や**チーム**の課題を発見し，合理的な**解決**に向けて運動の取り組み方を**工夫**するとともに，自己や仲間の考えたことを他者に伝えること。

●学びに向かう力，人間性等

□(3) 球技に**自主的**に取り組むとともに，フェアなプレイを大切にしようとすること，作戦などについての話合いに貢献しようとすること，一人一人の違いに応じたプレイなどを大切にしようとすること，互いに助け合い教え合おうとすることなどや，健康・安全を確保すること。

3つの型の球技で取り上げる種目を押さえよう。

□「E球技」の(1)の運動については，第1学年及び第2学年においては，アからウまでを全ての生徒に履修させること。

⏱□第3学年においては，アからウまでの中から二を選択して履修できるようにすること。

⏱□それぞれの型では，以下の種目を適宜取り上げる。

ゴール型	バスケットボール，ハンドボール，サッカー
ネット型	バレーボール，卓球，テニス，バドミントン
ベースボール型	ソフトボール

● 知識及び技能

⏱□(1) 次の運動について，勝敗を競ったり**チーム**や自己の課題を解決したりするなどの多様な楽しさや喜びを味わい，技術などの名称や行い方，**体力**の高め方，課題解決の方法，**競技会**の仕方（トーナメント，リーグ戦）などを理解するとともに，**作戦**や状況に応じた技能で仲間と連携し**ゲーム**を展開すること。

ア **ゴール型**では，状況に応じたボール操作と空間を埋めるなどの動きによって空間への侵入などから攻防をすること。

イ **ネット型**では，状況に応じたボール操作や安定した用具の操作と連携した動きによって空間を作り出すなどの攻防をすること。

ウ **ベースボール型**では，状況に応じたバット操作と走塁での攻撃，安定したボール操作と状況に応じた守備などによって攻防をすること。

● 思考力，判断力，表現力等

□(2) 生涯にわたって運動を豊かに継続するための**チーム**や自己の課題を発見し，**合理的**，計画的な解決に向けて取り組み方を工夫するとともに，自己やチームの考えたことを他者に伝えること。

● 学びに向かう力，人間性等

□(3)　球技に主体的に取り組むとともに，**フェアなプレイを大切にし**ようとすること，**合意形成に貢献しようとすること**，一人一人の違いに応じたプレイなどを大切にしようとすること，互いに助け合い高め合おうとすることなどや，**健康・安全を確保すること**。

5　球技の内容の取扱い（高等学校）

● 原文

□「E球技」の(1)の運動については，入学年次においては，アからウまでの中から**二つ**を，その次の年次以降においては，アからウまでの中から**一つ**を選択して履修できるようにすること。

□それぞれの型では，以下の種目を適宜取り上げる。

ゴール型	バスケットボール，ハンドボール，サッカー，ラグビー
ネット型	バレーボール，卓球，テニス，バドミントン
ベースボール型	ソフトボール

□学校や地域の実態に応じて，**その他**の運動についても履修させることができること。

● 補説

□入学年次においては，三つの型の中から**二つの型**を，その次の年次以降においては，三つの型の中から**一つの型**を選択して履修できるようにすることとしている。

□履修できる運動種目の数については，特に制限を設けていないが，指導内容の習熟を図ることができるよう，十分な時間を配当すること。また，生徒の**体力**や技能の程度に応じて健康・**安全**の確保に配慮することが大切である。

□学校や地域の実態に応じて，その他の運動についても履修させることができることとしているが，原則として，その他の型及び運動は，内容の取扱いに示された各型及び運動種目に**加えて**履修させることとし，学校や地域の特別の事情が有る場合には，**替えて**履修させることもできることとする。

□指導事項の**精選**を図ったり，運動観察のポイントを明確にしたり，ICTを効果的に活用したりする。

ここが出る! ▶▶

・バスケットボールやサッカーなど，ゴール型の種目の動きの例として，学習指導要領解説では，どのようなものが挙げられているか。各段階の内容を識別させる問題が多い。

・モールなどの専門用語の箇所が空欄にされることもよくある。

1 中学校第1・2学年

基本的な動きが主である。ボール操作の指導では，相手や味方の動きを捉えるため，周囲を見ながらプレイさせる。

● 様相

□ボール操作とボールを持たないときの動きによって**簡易化**されたゲームをする。

● ボール操作

□ゴール方向に守備者がいない位置でシュートをすること。

□マークされていない味方にパスを出すこと。

□得点しやすい空間にいる味方にパスを出すこと。

□パスやドリブルなどでボールをキープすること。

● ボールを持たないときの動き

□ボールとゴールが同時に見える場所に立つこと。

□パスを受けるために，ゴール前の空いている場所に動くこと。

□ボールを持っている相手をマークすること。

2 中学校第3学年・高等学校入学年次

シュートのコントロールや空間づくりが求められる。

● 様相

□安定したボール操作と空間を作り出すなどの動きによってゴール前への侵入などから攻防をする。

● ボール操作

□ゴールの枠内にシュートをコントロールすること。

□味方が操作しやすいパスを送ること。

□守備者とボールの間に自分の体を入れてボールをキープすること。

● ボールを持たないときの動き

□ ゴール前に広い空間を作りだすために，守備者を引き付けてゴールから離れること。

□ パスを出した後に次のパスを受ける動きをすること。

□ ボール保持者が進行できる空間を作りだすために，進行方向から離れること。

□ ゴールとボール保持者を結んだ直線上で守ること。

□ ゴール前の空いている場所をカバーすること。

3 高等学校その次の年次以降

● 様相

□ 状況に応じたボール操作と空間を埋めるなどの動きによって空間への侵入などから攻防をする。

● ボール操作

□ 防御をかわして相手陣地やゴールにボールを運ぶこと。

□ 味方が作り出した空間にパスを送ること。

□ 空いた空間に向かってボールをコントロールして運ぶこと。

□ 守備者とボールの間に自分の体を入れて，味方と相手の動きを見ながらボールをキープすること。

□ 隊形を整えるためにボールを他の空間へ動かすこと。

● ボールを持たないときの動き

□ 自陣から相手陣地の侵入しやすい場所に移動すること。

□ シュートやトライをしたり，パスを受けたりするために味方が作り出した空間に移動すること。

□ 侵入する空間を作り出すために，チームの作戦に応じた移動や動きをすること。

□ 得点を取るためのフォーメーションやセットプレイなどのチームの役割に応じた動きをすること。

□ チームの作戦に応じた守備位置に移動し，相手のボールを奪うための動きをすること。

□ 味方が抜かれた際に，攻撃者を止めるためのカバーの動きをすること。

□ 一定のエリアから得点しにくい空間に相手や相手のボールを追い出す守備の動きをすること。

ネット型の動きの例

頻出度 **C**

ここが出る！ ▶▶
・バレーボールや卓球など，ネット型の種目の動きについて，各段階の内容を識別させる問題が多い。
・ボールはラケットの中心付近で打つなど，細かな動きも要注意。短文の正誤判定問題が出る。

1 中学校第1・2学年

基本的な動きが主である。

● **ボールや用具の操作**

□サービスでは，ボールやラケットの中心付近でとらえること。

□ボールを返す方向にラケット面を向けて打つこと。

□相手側のコートの空いた場所にボールを返すこと。

□味方が操作しやすい位置にボールをつなぐこと。

□テイクバックをとって肩より高い位置からボールを打ち込むこと。

● **ボールを持たないときの動き**

□相手の打球に備えた準備姿勢をとること。

□プレイを開始するときは，各ポジションごとの定位置に戻ること。

□ボールを打ったり受けたりした後，ボールや相手に正対すること。

2 中学校第3学年・高等学校入学年次

ポジションや連携プレイのフォーメーションに応じた動きが要請される。

● **ボールや用具の操作**

□サービスでは，ボールをねらった場所に打つこと。

□ボールを相手側のコートの空いた場所やねらった場所に打ち返すこと。

□攻撃につなげるための次のプレイをしやすい高さと位置にボールを上げること。

□ネット付近でボールの侵入を防いだり，打ち返したりすること。

□腕やラケットを強く振って，ネットより高い位置から相手側のコートに打ち込むこと

□ポジションの役割に応じて，拾ったりつないだり打ち返したりすること。

● ボールを持たないときの動き

□ラリーの中で，味方の動きに合わせてコート上の空いている場所をカバーすること。

□連携プレイのための基本的なフォーメーションに応じた位置に動くこと。

3 高等学校その次の年次以降

　内容が高度化してくる。ボールを打つ際，緩急や高低をつけることが求められるようになる。

● ボールや用具の操作

□サービスでは，ボールに変化をつけて打つこと。

□ボールを相手側のコートの守備のいない空間に緩急や高低などの変化をつけて打ち返すこと。

□ボールに回転をかけて打ち出したり，回転に合わせて返球したりすること。

□変化のあるサーブに対応して，面を合わせてレシーブすること。

□移動を伴うつなぎのボールに対応して，攻撃につなげるための次のプレイをしやすい高さと位置にトスを上げること。

□仲間と連動してネット付近でボールの侵入を防いだり，打ち返したりすること。

□ボールをコントロールして，ネットより高い位置から相手側のコートに打ち込むこと。

□チームの作戦に応じた守備位置から，拾ったりつないだり打ち返したりすること。

● ボールを持たないときの動き

□ラリーの中で，相手の攻撃や味方の移動で生じる空間をカバーして，守備のバランスを維持する動きをすること。

□相手の攻撃の変化に応じて，仲間とタイミングを合わせて守備位置を移動すること。

□仲間と連携した攻撃の際に，ポジションに応じて相手を引き付ける動きをすること。

ベースボール型の動きの例 頻出度 **B**

- ベースボール型の種目（ソフトボール）の動きについて，各段階の内容を識別させる問題が多い。
- バット操作，ボール操作などの文章の正誤判定問題も多い。バットは地面と水平に振るなど，基本事項を押さえること。

1 中学校第1・2学年

ベースボール型の動きは，4つの領域に分かれる。

● **バット操作**

□ 投球の方向と平行に立ち，肩越しにバットを構えること。

□ 地面と水平になるようにバットを振りぬくこと。

● **ボール操作**

□ ボールの正面に回り込んで，緩い打球を捕ること。

□ 投げる腕を後方に引きながら投げ手と反対側の足を踏み出し，体重を移動させながら，大きな動作でねらった方向にボールを投げること。

□ 守備位置から塁上へ移動して，味方からの送球を受けること。

● **走塁**

□ スピードを落とさずに，タイミングを合わせて塁を駆け抜けること。

□ 打球の状況によって塁を進んだり戻ったりすること。

● **定位置での守備**

□ 決められた守備位置に繰り返し立ち，準備姿勢をとること。

□ 各ポジションの役割に応じて，ベースカバーやバックアップの基本的な動きをすること。

2 中学校第3学年・高等学校入学年次

● **バット操作**

□ 身体の軸を安定させてバットを振りぬくこと／タイミングを合わせてボールを捉えること／ねらった方向にボールを打ち返すこと。

● **ボール操作**

□ 捕球場所へ最短距離で移動して，相手の打ったボールを捕ること／ねらった方向へステップを踏みながら，一連の動きでボールを投げるこ

と／仲間の送球に対して塁上でタイミングよくボールを受けたり，中
継したりすること。

●走塁

□スピードを落とさずに円を描くように塁間を走ること／打球や守備の
状況に応じた塁の回り方で，塁を進んだり戻ったりすること。

●連携した守備

□味方からの送球を受けるために，走者の進む先の塁に動くこと／打球
や走者の位置に応じて，中継プレイに備える動きをすること。

3 高等学校その次の年次以降

●バット操作

□身体全体を使ってバットを振りぬくこと。

□ボールの高さやコースなどにタイミングを合わせてボールをとらえる
こと。

□守備スペースの広い方向をねらってボールを打ち返すこと。

□バントの構えから勢いを弱めたボールをねらった方向へ打つこと。

●ボール操作

□打球のバウンドやコースに応じて，タイミングを合わせてボールを捕
ること。

□塁に入ろうとする味方の動きに合わせて，捕球しやすいボールを投げ
ること。

□仲間の送球に対して次の送球をしやすいようにボールを受けること。

□投球では，コースや高さをコントロールして投げること。

●走塁

□タッチアップでは，タイミングよく進塁の動きをすること。

□仲間の走者の動きに合わせて，塁を進んだり戻ったりすること。

●連携した守備

□打者の特徴や走者の位置に応じた守備位置に立つこと。

□得点や進塁を防ぐために，走者の進塁の状況に応じて，最短距離での
中継ができる位置に立つこと。

□打球や送球に応じて仲間の後方に回り込むバックアップの動きをする
こと。

□ポジションに応じて，ダブルプレイに備える動きをすること。

● 体育（球技）

バスケットボール

ここが出る！ ▶▶

・専門用語の短文を提示して，該当する語の名称を書かせる問題が多い。インターセプト，ピボットなど，しっかり覚えよう。
・ルールに関する正誤判定問題も頻出。8秒ルールなど，時間制限によるバイオレーションがよく出題される。

1 バスケットボールの技能

●パス

⏱□【 チェストパス 】…スナップを効かし，ボールに回転を与える。

□【 ショルダーパス 】…頭の横から手のスナップを使って投げる。

□【 バウンズパス 】…接近した相手の足元にバウンドさせて出す。

●ショット

□【 レイアップショット 】…ランニングのスピードにのって片足でジャンプし，リングにボールを置くような感じでショット。

□【 ジャンプショット 】…空中で体を伸ばしてショット。

□【 セットショット 】…床に両足をつけたままショット。

●その他

□【 フェイク 】…相手を欺くフェイントをかける。

⏱□【 ピボット 】…片足を軸にして体の向きを回転させる。

●オフェンス

□【 カットインプレー 】…相手のゴール下に切り込んで入る。

□【 スクリーンプレー 】…壁をつくって防御者の動きを封じる。

⏱□【 ポストプレー 】…ゴール近辺の長身者にボールを集める。

●ディフェンス

□【 マンツーマンディフェンス 】…1対1の形態。

□【 ゾーンディフェンス 】…チーム全体で守るエリアを決める。

□【 インターセプト 】…相手のパスを遮り，自チームのボールにする。

2 バスケットボールのルール

●ゲーム

□1チームのプレーヤーの人数は5人。

□ゲームは10分のクォーターを4回行う。第1と第2，第3と第4の間に2分のインターバル，第2と第3の間に10分のハーフタイムをおく。

□第1クォーターはジャンプボール，第2以降はスローインで始める。

□中学生以上の女子は6号球(周囲72.4〜73.4cm)，男子は7号球(74.9〜78.0cm)を使う。バスケットリングの直径は45cm。

● ファウル

□身体接触の主な反則(パーソナルファウル)には，①プッシング(押す)，②ホールディング(つかむ)，③チャージング(突き当たる)，④ブロッキング(進行を不当に阻む)，⑤イリーガルユースオブハンズ(手でたたく)，などがある。罰則は以下のとおり。

ショットの動作中	ショット成功	そのショットは得点＋もう1個のフリースロー
	同不成功	スリーポイントエリアの内側の場合は2個，同エリアの場合は3個のフリースロー。
ショットの動作中以外		スローイン。相手チームの各クォーターでのファウル数が4回超の後は，2個のフリースロー。

□テクニカルファウル(非スポーツマン的行為)の場合，相手チームに1個のフリースローが与えられる。

□【　ディスクォリファイング・ファウル　】…悪質で即失格・退場。

● バイオレーション

□【　バイオレーション　】…身体接触による反則や非スポーツマン的行為以外の反則。相手チームにスローインが与えられる。

□3秒ルール	相手コートの制限区域内に3秒を超えていてはダメ。
□5秒ルール	1mより近い位置から相手に防御されながら，5秒を超えてボールを持ち続けることは不可。スローインやフリースローは5秒以内に行う。
□8秒ルール	攻撃側は，8秒以内にフロントコートにボールを運ぶ。
□24秒ルール	攻撃側は，24秒以内にショットする。

□【　トラベリング　】…ボールを持ったまま3歩以上進むこと。動きながら足が床についた状態でボールをキャッチした場合，床についている足は0歩目とし，その後2歩までステップを踏める。

□【　アウトオブバウンズ　】…ボール，ボールを持ったプレーヤーがコート外に出ること。

□【　バックパス　】…ボールをバックコートに返す。

体育

バスケットボール

89

ハンドボール

ここが出る！ ▶▶

・ハンドボールのチームの人数，競技時間，ボールを受け取ってから保持できる時間など，重要な数字を押さえよう。
・ハンドボールのコートの寸法を答えさせる問題も出る。アウターゴールラインなど，ラインの名称も要注意。

1 ハンドボールの技能

●パス

□【 ショルダーパス 】…肘を高く上げて投げる基本的な投球。

□【 フックパス 】…体の後側から，手首のスナップを使って投げる。

●シュート

□【 ジャンプシュート 】…空中の高い位置からシュート。

□【 ステップシュート 】…足をクロスステップさせてシュート。

□【 プロンジョンシュート 】…体を横にして打つシュート。

□【 ブラインドシュート 】…ディフェンスに隠れて打つシュート。

⏱□【 ループシュート 】…キーパーの頭越しにボールをふわりと浮かせるシュート。

●集団的技能

□【 セットオフェンス 】…フォーメーションを使って相手の防御を崩して攻める。

⏱□【 スカイプレー 】…ゴール前に上げられたボールを空中でキャッチして，着地前にパスやシュートをすること。

2 ハンドボールのルール

●ゲーム

⏱□1チームは14人（プレーヤー7人，交代要員7人）。

□競技時間は，前半・後半各30分。延長は，前半・後半各5分。

□トスを行い，一方のチームのスローオフによりゲーム開始。

□【 スローオフ 】…競技場の中央から攻撃側が行うスローのこと。相手プレーヤーはボールから3m以上離れ，スローは3秒以内に行う。

□ボールが完全にゴールを通過した時，1点となる。

●基本ルール

□ボールを持って3歩まで歩ける。ボールの保持時間は3秒まで。

□ボールがサイドラインから出た場合，相手のスローインで再開。

□攻撃側がボールをアウターゴールラインから出した場合，ゴールキーパースローで再開。

●反則

□以下のような反則があった場合，相手チームにフリースローが与えられる。フリースローは，反則のあった地点から行う。

イ）オーバーステップ … ボールを持って4歩以上歩く。

ロ）オーバータイム … ボールを3秒より長く保持する。

ハ）ダブルドリブル … ドリブルした後，再びボールを持つ。

ニ）ジャックル … 空中に上げたボールを再びとる。

ホ）ホールディング … 相手を捕まえる。

ヘ）プッシング … 相手を突き飛ばす，押す。

ト）トリッピング … 足でつまずかせる。

チ）キックボール … 足（膝から下）でボールを扱う。

リ）パッシブプレー … 攻撃をしないでゲームの進行を遅らせる。

□シュートチャンスでの反則があった場合，防御側がゴールエリア内で守った場合は，7mスローが与えられる。3秒以内にシュートする。

□ゴールエリア内に，コートプレーヤーは入れない。

□相手チームのプレーヤーが，ゴールエリア内で転がっているボールに触れた場合，ゴールキーパースローとなる。

3 ハンドボールのコート

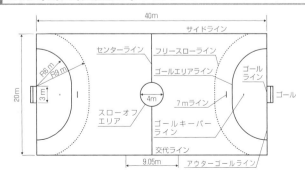

ここが出る! ▶▶

・ボールのけり方にはいろいろある。区切りをつけておこう。スローインやオフサイドに関する文章の正誤判定問題もよく出る。

・相手に直接（間接）フリーキックが与えられることになる反則行為はどのようなものかを押さえよう。

1 サッカーの技能

●個人的技能（キック）

☐【 インサイドキック 】…足の内側で押すようにして出す。

☐【 インフロントキック 】…親指の付け根付近でける。

☐【 アウトサイドキック 】…足の外側でける。

☐【 インステップキック 】…足の甲を使ってける。

☐【 ボレーキック 】…空中のボールをダイレクトにける。

●個人的技能（その他）

☐【 ヘディング 】…空中のボールを，頭を使って操作する。

☐【 トラッピング 】…体（胸など）でボールを受け止め，コントロールする。

☐【 チャージング 】…相手の肩に自分の肩をぶつけてボールを奪う。

☐【 タックル 】…相手のボールを足で押さえて奪う。

⏱☐【 プルアウェイ 】…ディフェンスを引きつけながら動き，有効なスペースをつくり出し，そこに走り込んでパスを受ける。

●集団的技能

☐【 センタリング 】…攻撃側が外側からゴール前にパスを送る。

☐【 オーバーラップ 】…ボールを持つ味方を追い抜いて，前方に走り込む。

2 サッカーの基本ルール

●ゲーム

☐1チームは11人。プレーに必要な最低人数は7人。

⏱☐試合時間は，前後半それぞれ45分（原則）。**コイントス**でゲーム開始。勝ったチームが，前半に攻めるゴールか，**キックオフ**かを選ぶ。

⏱□ボールがゴールポストを完全に通過すると得点となる。

● **ボールがラインの外側に出た場合の再開方法**

	タッチラインの外に	ゴールラインの外に
攻撃側が出した	相手のスローイン	相手のゴールキック
守備側が出した		相手のコーナーキック

□スローインでは，頭の**後方**から頭上を通して**両手**で投げる。相手チームのプレーヤーは，該当場所のタッチラインから2m以上離れる。

● **オフサイド**

⏱□【 **オフサイド** 】…攻撃側が，後方から2人目の相手競技者よりゴールに近い位置にいる味方にパスを出すこと。

□オフサイドポジションの競技者が，**スローイン**や**コーナーキック**から直接ボールを受けた場合は，オフサイドの反則とはならない。

3 サッカーの反則

フリーキックの際，相手チームのプレーヤーは9.15m以上離れる。直接フリーキックは，ゴールを直接ねらうことができる。

● **直接フリーキック・ペナルティーキックとなる反則**

□①チャージする（**ファウルチャージ**），②飛びかかる，③ける（**キッキング**），④押す（**プッシング**），⑤打つ（**ストライキング**），⑥**タックル**する，⑦つまずかせる（**トリッピング**），⑧ボールを手または腕で扱う（**ハンドリング**），⑨相手競技者を押さえる（**ホールディング**），⑩身体的接触によって相手競技者を妨げる，⑪人につばを吐く，⑫物を投げる。

□競技者が自分のペナルティーエリア内で，上記の行為をした場合，相手にペナルティーキック（PK）が与えられる。

● **間接フリーキックとなる反則**

□①**危険**な方法でプレーする，②**身体的接触**を伴わずに相手競技者の進行を妨げる，③異議を示す・**言葉**による反則，④**ゴールキーパー**がボールを手から放す（キックする）のを妨げる，⑤競技者を警告する（退場させる）ためにプレーを停止することになる反則を犯す，⑥ゴールキーパーが6秒を超えてボールを保持，⑦**オフサイド**。

□間接フリーキックのボールが直接相手ゴールに入った場合，**ゴールキック**が与えられる。

● 体育（球技）
ラグビー

ここが出る! ▶▶

・スクラム，ラック，モールといったラグビーの専門用語の概念を簡潔に説明できるようにしよう。得点のルールもよく出る。

・スクラムとなる軽い反則もあれば，ペナルティキックとなるような重い反則もある。それぞれの主なものを知っておこう。

1 ラグビーの技能

●パス

□【 スタンディングパス 】…走りながら左右に投げる。

□【 ストレートパス 】…地面を掃くように腰を落として投げる。

□【 タップパス 】…手首のスナップをきかせて投げる。

□【 ダイビングパス 】…体を投げ出しながらパス。

●キック

□【 パントキック 】…ボールを落として地面に着く前にキック。

□【 プレースキック 】…地面に置いたボールをキック。

□【 ドロップキック 】…地面に落ち，バウンドしたボールをキック。

●集団的技能

⏱□【 スクラム 】…軽い反則があった場合の試合再開方法。組み合った両チームの中間にボールを投げ込む。

□【 ラインアウト 】…ボールないしは，ボールを持ったプレーヤーがタッチラインを出た場合の試合再開方法。

□【 ラック 】…地面にあるボールを奪うため，両チームのプレーヤーが体を密着させて組み合うこと。

⏱□【 モール 】…ボールを持ったプレーヤーの周囲に，両チームのプレーヤーが密集し，組み合うこと。

2 ラグビーのルール

●ゲーム

□ 1チーム15名以内のプレーヤー。交代要員は8名まで。

□ 競技時間は80分以内，19歳未満は70分以内。試合の終了のことをノーサイドという。

□いずれかのチームのドロップキックによる**キックオフ**でゲーム開始。

□7人制ラグビーは7分ハーフで，スクラムは3人で形成する。

●**得点**

⏱□トライは5点，ペナルティトライは7点，**コンバージョンゴール**(トライ後のゴール)は2点，ペナルティキックやドロップキックによるゴールは3点。

3 ラグビーの反則

●**反則に課される罰則の種類**

□【 **タッチ** 】…ボール，ボールを持ったプレーヤーがタッチラインに触れるか，ラインの外に出ること。ラインアウトで再開する。

□軽い反則の場合は，相手ボールの**スクラム**でゲームが再開される。

□重い反則の場合，相手チームに**フリーキック**(直接ゴールを狙えない)やペナルティキック(直接ゴールを狙える)が与えられる。

□【 **アドバンテージ** 】…反則により相手チームが利益を得た場合，レフリーが競技を継続させること。

●**スクラムになる主な反則**

□【 **ノックオン** 】…手や腕で相手のデッドボールラインの方向にボールを落とすなどして，ボールを押し進めること。

□【 **スローフォワード** 】…相手のデッドボールラインの方向にボールを投げる(パスする)こと。

□【 **ノットストレート** 】…ラインアウトに投入されたボールがまっすぐに入らないこと。

●**フリーキックになる主な反則**

□【 **ノットストレート** 】…スクラムに投入されたボールがまっすぐに入らないこと。

□【 **リターンザボール** 】…一度出たボールをスクラム内に戻す。

●**ペナルティキックになる主な反則**

⏱□①**ピックアップ**(スクラム，ラックの中のボールを手や足で拾い上げる)，②**ノットリリースザボール**(タックルを受けたプレーヤーがボールを抱えて離さない)，③**オーバーザトップ**(モールやラックで相手側に倒れ込む，ボールが出るのを妨げる)，④**オブストラクション**(相手のプレーの妨害)。

● 体育（球技）

バレーボール

頻出度 **A**

1 バレーボールの技能

●個人的技能（パス）

□【 オーバーハンドパス 】…両手の親指と人差し指で**三角形**をつくり，指の腹でボールに触れる。トスなどに用いる。

□【 アンダーハンドパス 】…肘を伸ばした2本の腕でボールを送る。

●個人的技能（その他）

□サービス（**オーバーハンドサーブ，アンダーサーブ，フローターサーブ**），**スパイク**，トス（**オープントス，バックトス**），**ブロック**など。

●集団的技能

□【 移動攻撃 】…アタッカーが素早く位置を変えて攻撃する。

□【 時間差攻撃 】…相手のブロックと攻撃の間にズレをつくる。

□【 オープン攻撃 】…ネットのサイドに高いトスを上げてスパイク。

□【 クイック攻撃 】…低めのトスから，相手のブロックに勝るスピードでスパイク。トスを上げる位置により，A〜Dクイックに分かれる。

□【 バックアタック 】…バックのプレーヤーが，アタックラインの後方から力強く打ち込む。

□【 ブロックアウト 】…相手のブロックの手にボールをわざと当ててコート外に落とす。

2 バレーボールのルール

●プレーヤー

⏱□1チームは最大14人まで。うち6名がプレーヤーになる（交代は1セットにつき6回まで）。コート上でプレーできるリベロは1名。

⏱□【 リベロ 】…守備専門。サービス，スパイク，ブロックなどはできない。**後衛**の選手の誰とでも無制限に**交代**できる。

●ゲームの進行

⏱□【 ラリーポイント制 】…サービス権の有無に関係なく，ラリーに勝ったチームの得点となる。25点先取したチームが，セットの勝者。

□24点対24点の同点となった場合，いずれかが2点リードするまで当該のセットを続ける。

□5セット・マッチの試合で，セット・カウントが2対2となった場合，最終の5セット目は，15点を先取したチームが勝者となる。

□【 サイドアウト 】…相手側にサービス権が移ること。サービス権を得たチームは，時計回りに1つずつポジションを移動。

●補足

□5セットマッチの場合，最終セットでは一方が8点先取した時点でチェンジコートを行う。

□タイムアウトの要求は，セットごとに2回だけ認められる。

3 バレーボールの反則

●サービス関係の反則

□【 フットフォールト 】…サービスゾーンの外からのサービス，エンドラインを踏む，それを踏み越す。

□【 ディレイインサービス 】…8秒以内にサービスをしない。

□【 スクリーン 】…サービス側チームのプレーヤーが壁をつくり，サーバーやボールコースを相手チームに見えなくすること。

●ボールプレー関係の反則

□【 ダブルコンタクト 】…2回連続してボールに触れる。

□【 キャッチボール 】…ボールをつかむ，投げる。

□【 フォアヒット 】…同じチームが3回を超えてボールに触れる。

●ネット・コート関係の反則

□【 タッチネット 】…プレーヤーがアンテナを含むネットに触れる。

□【 オーバーネット 】…ネットの上から，相手側のボールに触れる。ブロックの場合は除外される。

□【 パッシング・ザ・センターライン 】…相手コートへの侵入。

●リベロ関係の反則

□フロントゾーン内でリベロがオーバーハンドパスで上げたボールを，他のプレーヤーがネットより高い位置でアタックする。

ここが出る！ ▶▶
・卓球の技能の専門用語では，技能に関する文章と名称を結びつけ
させる問題がよく出る。
・ルールについては，サービスのやり方や，相手のポイントとなる
違反行為に関する文章の正誤判定問題が多い。

1 卓球の技能

□【 カット 】…ボールに下回転をかける打ち方。

□【 ショート 】…返球されたボールのバウンドの直後に打つ。

□【 ストップ 】…打球の勢いを抑え，ネット付近にボールを落とす。

□【 スマッシュ 】…全力でボールを打つ。

□【 3球目攻撃 】…サービスに対する返球に攻撃をしかける。

□【 前陣攻撃 】…台に近づいて，返球されたボールのバウンド直後な
いしは頂上付近で打球する。返球時間の短さで勝負。

□【 ツッツキ 】…ボールの下部をこすり抜くように打つ。

□【 トップ打ち 】…返球されたボールのバウンドの頂点で打つ。

□【 ドライブ 】…前進回転のかかったボール。

□【 ナックル 】…回転のかかっていないボール。

□【 プッシュ 】…スピードをつけて，押し出すように打つ。ショート
の一種である。

□【 ブロック 】…相手の強打を安定した形で返す。

□【 ロビング 】…ボールを高く打ち上げて返す。

2 卓球のルール

●ゲーム

□サーバーのサービスによってゲーム開始。ゲーム中のサービスは，2
ポイントごとに交代する。

□どちらか一方の得点が11点になったらゲーム終了。10対10になった場
合は，2点差をつけた側の勝利。

□エンドの交代はゲームの終了ごとに行う。最終ゲームでは，一方が5
点に達した時に行う。

●サービスのやり方

□サービスの動作が審判に見えるように行う。

⏱ □手のひらの中央にボールを乗せ，垂直方向に16cm以上投げ上げ，落ちてくるところを打つ。ボールを打つ位置は，**エンドライン**の後方。

□ボールは，自分のコートで1**バウンド**させ，相手のコートに入れる。

□サービスが**ネット**やサポートに触れてから相手のコートに入った場合，レット（やり直し）となる。

●相手競技者の得点となる場合

□正規のサービスや**リターン**を行えなかった場合。

□ボールを続けて2回打った場合。

□自分のコートに返されたボールが2回バウンドした場合。

□ラケットを持たない側の手が**コート**に触れてボールを打った場合。

●促進ルール

□10分経過してもゲームが終わらない場合，両者のスコアの合計が18点に達しない場合，**促進ルール**が適用される。

⏱ □サービスが1本交替になり，サービス側が13回打球するまでの間に得点しないと，レシーバーの得点となる。

●ダブルス

□サービスは，自コートの**右半面**でバウンドさせ，相手コートの**右半面**でバウンドさせる。

□打球は，各組のプレーヤーが**交互**に行わなければならない。

3 卓球台の寸法とライン名

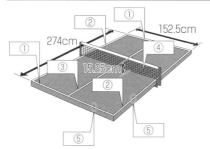

274cm
152.5cm
15.25cm

〈名称〉

① : エンドライン

② : サイドライン

③ : センターライン

④ : ネット

⑤ : エッジ

※ボールは直径40mm，重さ2.7g

□台にボールを30cmの高さから落とした時，約23cmのバウンドが必要。

□エッジに当たったボールは有効（エッジボール）。

● 体育（球技）

テニス

頻出度 C

ここが出る! ▶▶

・ラケットの握り方，ボールの打ち方の名称を答えさせる問題が多い。できれば図もみておくことが望ましい。
・テニスは，「ゲーム－セット」というように階層化されている。この区別をつけておこう。

1 テニスの技能

● グリップの握り方

⏱□【 ウエスタングリップ 】…ラケット面と地面が平行，上から握る。上向きのスイングでトップスピン系のボールを打つのに適する。

⏱□【 イースタングリップ 】…ラケット面にあてた手をそのままずらして握る。フラット系，スライス系のボールを打つのに適する[1]。

□【 コンチネンタルグリップ 】…ラケットを地面に対して垂直に持つ。サービス，ボレー，スマッシュに適する。

● ボールの回転・打ち方

□【 グラウンドストローク 】… 1 バウンドしたボールを打つ。

□【 ボレー 】…相手から返されたボールをノーバウンドで打つ。

□【 アプローチ 】…打球後にネットにつくためのショット。

□【 サーブアンドボレー 】…サービス後，前進してネットプレー。

□【 スマッシュ 】…ボールを相手のコートに力強く打ち込む。

□【 パッシングショット 】…ネット際の相手の脇を打ちぬく。

□【 ドロップショット 】…ネット際にボールを落とす。

□【 ロビング 】…高いボールを打ち，相手コートのベースライン付近に落とす。ロブともいう。

● ダブルスの技能

□【 ポーチ 】…相手のボールのコースに動き，ボレー，スマッシュ。

□【 雁行陣 】… 1 人がネット付近，1 人がベースライン付近につく。

□【 並行陣 】… 2 人ともネット付近またはベースライン付近につく。横に平行して並ぶ。

[1]順回転のボールをトップスピン系，あまり回転しないボールをフラット系，逆回転のボールをスライス系という。

2　テニスのルール

●得点と勝敗

⏱□ 4 ポイント先取でゲームを取得❷。3 対 3 になった場合，2 ポイントリードでゲーム取得。

⏱□ 6 ゲーム先取でセット取得。5 ゲーム対 5 ゲームになった場合，2 ゲームリードでセット取得。6 ゲーム対 6 ゲームになった場合，**タイブレーク**を行う。

□ 3 セットマッチの場合，2 セット先取した側が勝利。

●サービスのやり方

□サービスは，**ベースライン**の後方から行う。ゲーム開始のサービスは**右コート**から始め，以降左右交互のコートから行う。

□ボールは，**対角**方向の相手のサービスコートに入れる。

□**レット**とは，サービスをやり直すことである。

フォールトになる場合	イ）ボールが相手コートに**ノーバウンド**で入らなかった。 ロ）サービスの動作中，**ライン**を踏んだり超えたりした。 ハ）ボールを打とうとしたが，**空振り**した。
レットになる場合	イ）ボールが**ネット**などに触れてコートに正しく入った。 ロ）**トス**を上げたが，サービスを打たなかった。

□**レシーバー**は，ネットからレシーバー側ならどこに立ってもよい。

●失点となる場合

□サービスが 2 本ともフォールトになった場合(**ダブル・フォールト**)。

□ボールが 2 度バウンドする前に返球できなかった場合。

□**投げた**ラケットでボールを打った場合。

□ボールが衣服や体に**触れた**場合。　など

●その他

□サービスは 1 バウンド後に返球するが，それ以降のラリーは**ノーバウンド**でもよい。

□故意ではない，**2 度打ち**は失点とはならない。

□ボールがポストの**外**をまわって，相手コートに正しく入った場合は**有効**である(ポストまわし)。

□サイド(コート)の交代は，**奇数**ゲーム終了ごとに行う。

❷テニスの得点は 0 ポイントを 0，1 ポイントを15，2 ポイントを30，3 ポイントを40と数える。

バドミントン

ここが出る! ▶▶

- バドミントンのシャトルの飛ばし方（フライト）のうち，主要なものを押さえよう。片仮名の名称を書かせる問題が多い。
- フォルト（違反）となるのは，どのような場合か。選択肢を提示して，選ばせる問題がよく出る。

1 バドミントンの技能

●フライト

□【 ハイクリアー 】…相手コートの奥まで届く高い打球。

□【 ドロップ 】…相手コートのネット付近に落とす打球。

□【 スマッシュ 】…高い位置から力いっぱい打ちこむ。

□【 ドライブ 】…床と平行にシャトルを飛ばす。

□【 プッシュ 】…ネット際のシャトルをスイングなしで押し込む。

□【 ヘアピン 】…ネット際のシャトルを相手のネット際に落とす。

●ストローク

⏱□【 オーバーヘッドストローク 】…高く上がったシャトルを高い位置でとらえ，前方に振りおろす。

⏱□【 サイドアームストローク 】…低い位置に落ちてきたシャトルを横手打ちする。ラケットは水平に振る。

●サービス

□【 ロングハイサービス 】…高く打ち上げ，相手コートの最後部まで届くようなサービス。

□【 ショートサービス 】…ネットすれすれで，ショートサービスラインあたりに落とすサービス。

□【 フリックサービス 】…相手の頭上のそれほど高くない位置を通過させるサービス。

2 バドミントンのルール

●ゲーム

□サービス権の有無に関係なく，ラリーに勝った側の得点となる。

□ゲームは3ゲームを行う。2ゲーム先取した側が勝者となる。

⏱ □21点先取した側がゲームを取得。20対20になった場合，最初に2点リードした側がゲームを取得。

□29対29になった場合，30点目を取得した側がゲームを取得。

□ゲーム中，一方が11点先取した時，60秒を超えないインターバルが認められる。ゲーム間で120秒を超えないインターバルが認められる。

● **サービングコート**

□サービスは，自分の得点が偶数の時はコートの**右側**，奇数の時はコートの**左側**から行う。

□最初のサービスは**右側**から行い，相手コートの斜め向かいに入れる。

3 フォルトとなる場合

● **サービス時のフォルト**

⏱ □シャトル全体がコート全体から1.15m以下でない。

□サービスを始めてからなされるまで，ラケットが前方への動きを継続していない。

□【 **フットフォルト** 】…サービスが終わるまでの間，サーバーとレシーバーの足の一部が静止の状態でコート面についていない。

□シャトルとラケットの最初の接点が，シャトルのコルク(台)でない。

● **インプレー時のフォルト**

□【 **タッチ・ザ・ボディ** 】…体や衣服にシャトルが当たる。

□【 **オーバー・ザ・ネット** 】…シャトルを打つ際，ラケットの一部がネットを超える。

□【 **タッチ・ザ・ネット** 】…衣服やラケットがネットに触れる。

□【 **ドリブル** 】…同プレーヤーが，2回続けてシャトルを打つ。

□【 **ダブルタッチ** 】…同チームのプレーヤーが続けて打つ。

● **ダブルス**

□サービス権は次のように移動する。①最初の**サーバー**⇒②最初のレシーバーの**パートナー**⇒③最初のサーバーの**パートナー**⇒④最初のレシーバー⇒⑤最初のサーバー。

□サービス権を持っている側(サービングサイド)のプレーヤーは得点するまで，それぞれの**サービスコート**を変えてはならない。

⏱ □2人が左右に位置する陣形を**サイドバイサイド**，前後に位置する陣形を**トップアンドバック**という。

ソフトボール

1 ソフトボールの用語

インフィールドフライの概念や意図などがよく出題される。

● 投球関連

□【 ウインドミル 】…腕を1回転させて投げる。

□【 スリングショット 】…後方に振り上げた腕を速く振って投げる。

□【 ライズボール 】…下からすくうように投げ，ボールに上向きの回転を与える。

□【 イリーガルピッチ 】…不正投球のこと。

● 守備関連

□【 インフィールドフライ 】…「無死または一死」かつ「走者が1・2塁か満塁」の場合，通常の守備で捕球できるフェアフライのこと。球審の宣告で打者はアウトとなる。（故意のダブルプレイを防ぐため。）

□【 オブストラクション 】…守備側による妨害行為。

□【 フィルダースチョイス 】…ゴロを捕球し，1塁で走者をアウトにできるのに，先行走者をアウトにしようとして先の塁に送球した結果，どちらもアウトにし損ねること。

● 攻撃関連

□【 インターフェアランス 】…攻撃側による守備妨害。

□【 スチール 】…盗塁のこと。

□【 スクイズ 】…3塁走者を本塁に迎え入れるバント。

2 ソフトボールのルール

● ゲーム全般

□プレーヤー9名。指名選手（DP）1名を入れる場合は，10名となる。退いても，一回に限り再び試合に出られる（リエントリー）。

⏱□イニング（攻撃・守備）を 7 回続ける。 7 回過ぎても決着がつかない場合，延長戦に入る。 8 回以降は，次の促進ルールが適用される。

⏱□【　タイブレーク　】…8 回以降，各チームの攻撃は，**無死 2 塁**の状態から始められること。

● **投球**

□投球準備姿勢は，①軸足を**プレート**上に置く，②両腰は 1 塁と 3 塁を結ぶ線と平行，③両手で，体の前ないし横でボールを持つ。

□投球動作開始まで，上記の準備姿勢で，2 秒以上 5 秒以内静止する。投球はボールを受け取ってから20秒以内に行う。

□投球は，**アンダーハンドモーション**（下手投げ）で行う。手と手首が**体側線**を通過しながら球を離す。

□【　故意四球　】…投球せずに打者を一塁に歩かせること。

● **打撃**

□主審のプレー宣告後，10秒以内に打撃姿勢をとる。

□【　ストライクゾーン　】…打者のみぞおちから膝の皿の底部までの，ホームプレート上の空間。

● **走塁**

□タッチされるのを避けるため，走者が，塁間を結ぶ線から 3 フィート以上離れて走った場合，アウトとなる。

□投手の手から球が離れるまで，走者は塁を離れられない。

⏱□【　テンポラリーランナー　】…捕手が塁上の走者となっていて二死となった時，捕手の代わりに走者となる選手。

● **ソフトボールの競技場**

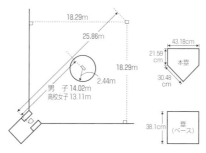

⏱□クロスプレーによる事故を防ぐため，一塁に**ダブルベース**がおかれる。

105

● 体育（球技）
競技場，歴史的事項 頻出度 C

ここが出る！ ▶▶

・6つの種目の競技場について，寸法の標準やライン名などを知っておこう。ラインやエリアの名称を答えさせる問題がよく出る。

・トーナメント戦とリーグ戦の総試合数はどうやって求めるか。簡単な計算問題が出る。

　球技の6種目については，紙幅の関係上，競技場の図を提示することができなかった。本テーマにて，一括して掲載する。

1 バスケットボールの競技場

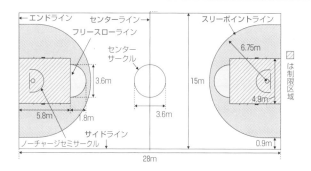

2 サッカーの競技場

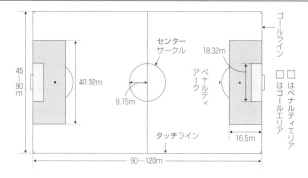

3 ラグビーの競技場

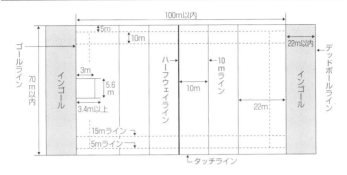

4 バレーボールの競技場

ネットの高さ
中学男　2.30m
中学女　2.15m
高校男　2.40m
高校女　2.20m
一般男　2.43m
一般女　2.24m

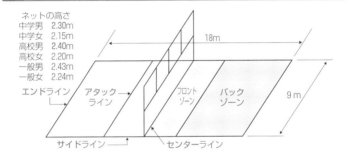

5 テニスの競技場

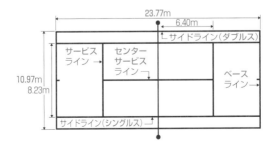

□ネットの中央の高さは0.914mである。

6　バドミントンの競技場

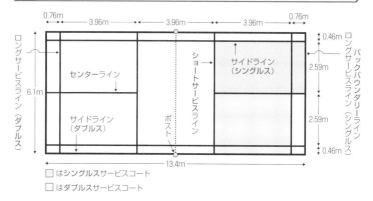

□ はシングルスサービスコート
□ はダブルスサービスコート

7　球技の歴史

●バスケットボール

□1891年，アメリカの**J.ネイスミス**がバスケットボールを考案。

□1908年，**大森兵蔵**が日本に初めて紹介。その後，F.H.ブラウンらが日本国内に普及させる。

●ハンドボール

□ハンドボールは，19世紀末，デンマークの**ニールセン**が考案。1919年に，ドイツの**シュレンツ**が11人制を考案。

□1922年，**大谷武一**が11人制を日本に紹介。

●サッカー

□1904年，国際サッカー連盟（FIFA）が設立。

□1873年，イギリスの**ダグラス少佐**が日本にサッカーを紹介。

●ラグビー

□1871年，イギリスにラグビー協会が創立。以後，世界中に普及。

□1899年，慶応大学教授でイギリス人の**クラーク**と田中銀之助が同大学の学生に伝達。

●バレーボール

□1895年，アメリカの**W.G.モーガン**がバレーボールを考案。

□1908年，**大森兵蔵**が日本に紹介。1913年，**F.H.ブラウン**が16人制を指導。日本は，1951年に国際バレーボール連盟（FIVB）に加盟。以後，

6人制が主流になる。

●卓球

□卓球は，1898年にイギリスのJ.ギブがセルロイドボールを使ったのが
始まり。1902年，**坪井玄道**が日本に卓球を紹介。

□2001年から11点制，サービスは2本交替制となった。

●テニス

□テニスの原型は，手でボールを打ち合う「**ジュ・ドゥ・ポーム**」といわ
れる。1874年，イギリスの**ウィングフィールド**がテニスを考案。

□1878年，アメリカの**リーランド**が日本にテニスを紹介。

●バドミントン

□バドミントンの起源は，イギリスで行われていた「**バドルドーアンド
シャトルコック**」という羽根突き遊びといわれる。

□1899年，統一ルールのもとで第1回全英選手権が開催。

●ソフトボール

⏱□1887年，アメリカの**ジョージ・ハンコック**がインドアベースボールを
考案。1933年，ソフトボールと名称が改められる。

□1921年，**大谷武一**がソフトボールを日本に紹介。

8 トーナメント戦とリーグ戦の試合数

●計算式

⏱□トーナメント戦の総試合数＝出場チーム数－1

⏱□総当たりのリーグ戦の総試合数＝｛チーム数×（チーム数－1）｝÷2

●過去問（宮城県・仙台市）

□253人が参加するトーナメント方式の「試合数」と，13人が参加する総
当たりリーグ戦方式の「試合数」を求めよ。

　　253人が参加するトーナメント方式の試合数

　　＝253－1＝**252**試合

　　13人が参加する総当たりリーグ戦方式の試合数

　　＝｛13×（13－1）｝÷2＝**78**試合

●球技の概念

□【　戦術　】…相手との駆け引きに応じた局面の打開策。

□【　作戦　】…チームの合意に基づいた戦い方の方針。

□【　戦略　】…大会全体を見通した長期的な展望。

ここが出る！▶▶
・現行の学習指導要領では，保健体育科において武道が重視されている。武道の態度的な側面がよく出題される。
・高等学校の武道は，柔道，剣道から一種目を選択履修することとされる。空手道や弓道なども加えて履修させることができる。

1 武道の内容（中学校第1・2学年）

柔道・剣道・相撲の中から選択する。

● **知識及び技能**

□(1) 次の運動について，技ができる楽しさや喜びを味わい，武道の特性や成り立ち，伝統的な考え方，技の名称や行い方，その運動に関連して高まる**体力**などを理解するとともに，基本動作や基本となる技を用いて簡易な攻防を展開すること。

　ア　柔道では，相手の動きに応じた基本動作や基本となる技を用いて，投げたり抑えたりするなどの簡易な攻防をすること。
　イ　剣道では，相手の動きに応じた基本動作や基本となる技を用いて，打ったり受けたりするなどの簡易な攻防をすること。
　ウ　相撲では，相手の動きに応じた基本動作や基本となる技を用いて，押したり寄ったりするなどの簡易な攻防をすること。

● **思考力，判断力，表現力等**

□(2) 攻防などの自己の課題を発見し，合理的な解決に向けて運動の取り組み方を**工夫**するとともに，自己の考えたことを他者に伝えること。

● **学びに向かう力，人間性等**

□(3) 武道に積極的に取り組むとともに，相手を**尊重**し，伝統的な行動の仕方を守ろうとすること，分担した**役割**を果たそうとすること，一人一人の違いに応じた課題や**挑戦**を認めようとすることなどや，禁じ技を用いないなど健康・**安全**に気を配ること。

2 武道の内容（中学校第3学年・高等学校入学年次）

● 知識及び技能

⏱ □(1) 次の運動について，技を高め勝敗を競う楽しさや喜びを味わい，伝統的な考え方，技の名称や見取り稽古の仕方，体力の高め方などを理解するとともに，基本動作や基本となる技を用いて攻防を展開すること。

　ア　柔道では，相手の動きの変化に応じた基本動作や基本となる技，連絡技を用いて，相手を崩して投げたり，抑えたりするなどの攻防をすること。

　イ　剣道では，相手の動きの変化に応じた基本動作や基本となる技を用いて，相手の構えを崩し，しかけたり応じたりするなどの攻防をすること。

　ウ　相撲では，相手の動きの変化に応じた基本動作や基本となる技を用いて，相手を崩し，投げたりいなしたりするなどの攻防をすること。

● 思考力，判断力，表現力等

□(2) 攻防などの自己や仲間の課題を発見し，合理的な解決に向けて運動の取り組み方を工夫するとともに，自己の考えたことを他者に伝えること。

● 学びに向かう力，人間性等

⏱ □(3) 武道に自主的に取り組むとともに，相手を尊重し，伝統的な行動の仕方を大切にしようとすること，自己の責任を果たそうとすること，一人一人の違いに応じた課題や挑戦を大切にしようとすることなどや，健康・安全を確保すること。

3 基本動作

学習指導要領解説で例示されているものである。

● 柔道

□姿勢と組み方では，相手の動きの変化に応じやすい自然体で組むこと。

□崩しでは，相手の動きの変化に応じて相手の体勢を**不安定**にし，技を
かけやすい状態をつくること。

□進退動作では，相手の動きの変化に応じたすり足，歩み足，**継ぎ足**
で，体の移動をすること。

● **剣道**

□構えでは，相手の動きの変化に応じた自然体で**中段**に構えること。

□**体さばき**では，相手の動きの変化に応じて体の移動を行うこと。

□基本の打突の仕方と受け方では，**体さばき**や竹刀操作を用いて打った
り，応じ技へ発展するよう受けたりすること。

4　武道の内容の取扱い（中学校）

⏱ □柔道，剣道，相撲，空手道，なぎなた，弓道，**合気道**，少林寺拳法，
銃剣道などを通して，我が国固有の**伝統**と文化により一層触れること
ができるようにすること。(1)の運動については，アからウまでの中か
ら一を選択して履修できるようにすること。

□安全上の配慮から，中学校段階では，柔道の**絞め技**，剣道の**突き技**は
取り扱わない。

5　武道の内容（高等学校入学年次の次の年次以降）

高校では，柔道か剣道を選択する。

● **知識及び技能**

⏱ □(1)　次の運動について，**勝敗を競ったり自己や仲間の課題を解決した
りするなどの多様な楽しさや喜びを味わい**，伝統的な考え方，技の名
称や見取り稽古の仕方，体力の高め方，課題解決の方法，試合の仕方
などを理解するとともに，**得意技**などを用いた攻防を展開すること。
ア　柔道では，相手の動きの変化に応じた基本動作から，得意技
や**連絡技・変化技**を用いて，素早く相手を崩して投げたり，抑
えたり，返したりするなどの攻防をすること。
イ　剣道では，相手の動きの変化に応じた基本動作から，得意技
を用いて，相手の構えを崩し，素早くしかけたり応じたりする
などの攻防をすること。

□【　連絡技　】…技をかけたときに，相手の防御に応じて，更に効率よ

112

く相手を投げたり抑えたりするためにかける技。

□【　変化技　】…相手がかけてきた技に対し，そのまま切り返して投げ
たり，その技の力を利用して効率よく投げたりするためにかける技。

● 思考力，判断力，表現力等

□(2)　生涯にわたって運動を豊かに継続するための自己や仲間の課題
を発見し，合理的，計画的な解決に向けて取り組み方を工夫する
とともに，自己や仲間の考えたことを他者に伝えること。

● 学びに向かう力，人間性等

□(3)　武道に主体的に取り組むとともに，相手を尊重し，礼法などの伝統
的な行動の仕方を大切にしようとすること，役割を積極的に引き受
け自己の責任を果たそうとすること，一人一人の違いに応じた課題
や挑戦を大切にしようとすることなどや，健康・安全を確保すること。

6　武道の内容の取扱い（高等学校）

● 原文

□(1)の運動については，ア又はイのいずれかを選択して履修できるよう
にすること。

□学校や地域の実態に応じて，相撲，空手道，なぎなた，弓道，合気
道，少林寺拳法，銃剣道などについても履修させることができること。

● 補説

□学校や地域の実態に応じて，相撲，空手道，なぎなた，弓道，合気
道，少林寺拳法，銃剣道などについても履修させることができること
としているが，原則として，柔道又は剣道に加えて履修させることと
し，学校や地域の特別の事情がある場合には，替えて履修させること
ができることとする。

□主体的・対話的で深い学びの実現に向けた授業改善を推進する観点か
ら，必要な知識及び技能の定着を図る学習とともに，互いに教え合う
時間を確保するなどの工夫をしながら，生徒の思考を深めるために発
言を促したり，気付いていない視点を提示したりするなど，学びに必
要な指導の在り方を追究し，生徒の学習状況を捉えて指導を改善して
いくことが大切である。

ここが出る! ▶▶

・柔道の投げ技として，文部科学省の手引ではどのようなものが例示されているか。主なものについては，図もみておこう。
・柔道の基本的なルールを知っておこう。一本と技ありの要素，勝敗の判定についてよく問われる。

1 柔道の基本動作・用語

柔道の基本動作を押さえよう❶。

□【 自然体 】…身体に余計な力を入れずに自然に立った姿勢。

□【 自護体 】…防御に適した姿勢。

□【 進退動作 】…姿勢の安定を保ちながら移動すること。

⏱ 継ぎ足	一方の足が他の足を越して歩くのではなく，足を継いで歩く。	
歩み足	主に前後への歩き方，普通の歩き方に似た歩き方。	
⏱ すり足	足の裏で畳を擦るようにして移動する方法。	

前後への移動 前後への移動　継ぎ足　歩み足

□【 崩し 】…相手の体勢を不安定にすること。

□【 体さばき 】…相手の姿勢を崩しながら，投げやすい体勢になること。

□【 受け身 】…投げられた場合の身体への衝撃を少なくする。①畳をたたく，②回転する，③筋肉を緊張させる，の3要素がある。

□組み合っている際，相手の襟を握っている手を釣り手，相手の袖を握っている手を引き手という。

□【 打ち込み 】…技に入るまでの動作を繰り返し練習すること。

2 柔道の対人的技能

技を仕掛ける側を「取」，技を被る側を「受」という。

● 投げ技

□①支え技系（膝車，支え釣り込み足），②まわし技系（体落とし，大腰，

❶本テーマの記述は，文部科学省「柔道指導の手引（三訂版）」（2013年3月）による。

つり込み腰，背負い投げ，払い腰，跳ね腰，内股），③**刈り技系**(大外刈り，小内刈り，大内刈り），④**払い技系**(送り足払い），⑤**捨て身技系**(巴投げ，浮き技），がある。

●抑え技

□①けさ固め系(**けさ固め**)，②四方固め系(横四方固め，**上四方固め**，縦四方固め)，③肩固め系(肩固め)，がある。

⏱□抑え込みの３つの条件は，①「受」が仰向けの姿勢である，②「取」が「受」とほぼ向き合っている，③「取」が脚を絡まれるなど「受」から拘束を受けていない，である。

3 代表的な技の説明

⏱□【 膝車 】…「受」を右前すみに崩し，「受」の右膝に，左足裏を当て，それを軸に車のように回転させて「受」の前方に投げる。

□【 支え釣り込み足 】…「受」を右前すみに崩し，「受」の右足首を左足裏で支え，引き手，釣り手で釣り上げるようにして，腰の回転を効かせて「受」の前方に投げる。

□【 体落とし 】…「受」を右前すみに崩し，「受」に重なる様に回りこみ，さらに右足を一歩「受」の右足の外側に踏み出し，両腕と両膝の伸展を利用して「受」を前方に投げ落とす。

⏱□【 大腰 】…「受」を前に崩し，「受」の後ろ腰に右腕を回し，「受」と重なり，両膝の伸展，引き手，後ろに回した右腕を使い，「受」を腰に乗せ前方に投げる。

□【 払い腰 】…「受」を右前すみに崩し，「受」を引きつけ，左足を軸に右脚で前方から「受」の右脚外側を払い上げ，前方に投げる。

⏱□【 大外刈り 】…「受」を右後ろすみに崩し，左足を軸に右脚を前方に振り上げ，相手の右脚を外側から刈り，「受」を後方に投げる。

□【 巴投げ 】…「受」を前に崩し，左足を「受」の両足の間に深く踏み出し，体を真後ろに倒しながら，「受」の下腹部に右足裏を当て，両手を引いて「取」の体越しに投げる。

□【 けさ固め 】…「受」の右体側に腰をつけ，左腋下に「受」の右腕を挟み右袖を握る。右手で「受」の首を抱え右後ろ襟あたりを握る。「取」は両脚を大きく前後に開いて安定を保ち，右側の胸で「受」の胸を圧して抑える。

4 柔道の技能の学習段階の例

高等学校新学習指導要領解説で例示されている表を掲げておく。

技		中学校1・2年生	中学校3年 高校入学年次	高校 その次の年次以降
投げ技	支え技系	膝車	→	→
		支え釣り込み足	→	→
	まわし技系	体落とし	→	→
		大腰	→	→
			釣り込み腰	→
			背負い投げ	→
				払い腰
				内股
	刈り技系	大外刈り	→	→
			小内刈り	→
			大内刈り	→
	払い技系			出足払い
				送り足払い
固め技 (抑え技)	けさ固め系	けさ固め	→	→
	四方固め系	横四方固め	→	→
			上四方固め	→
				縦四方固め
	肩固め系			肩固め
技の連絡	投げ技の 連絡		大内刈り ⇒ 大外刈り	→
			釣り込み腰⇒大内刈り	→
			大内刈り⇒背負い投げ	→
	固め技の 連絡		けさ固め ⇒ 横四方固め	→
			横四方固め⇒上四方固め	→
	投げ技から 固め技への連絡			内股 ⇒ けさ固め
技の変化	投げ技の 連絡			相手の技をそのまま切り返す
				相手の技を利用して自分の技で投げる
	固め技の連絡			相手の固め技を返して抑える

※表中の「→」は既習技を示している。

5 罰則とその効果

「指導」と「反則負け」の行為の区別をつけよう。

● 罰則の種類

□ 軽微な禁止事項を犯した場合は「指導」が与えられ，重大な禁止事項を犯した場合は「反則負け」となる。

● 禁止事項の例

□指導	・積極的戦意に欠け，攻撃しない
	・相手と取り組まず勝負をしようとしない
	・極端な防御姿勢をとる
	・相手の袖口や裾口に指を入れて握る
	・相手の顔面に直接手(又は腕)や足(又は脚)をかける
□反則負け	・河津がけで投げる
	・払い腰等をかけられたとき，相手の支えている脚を内側から刈り又は払う
	・内股，払い腰等の技をかけながら身体を前方に低く曲げ，頭から畳に突っ込む
	・相手や審判の人格を無視する言動を行う。

6 技と勝負の判定

● 技の判定

		立ち技	寝技
⏱	□一本	スピード，力強さ，背中が着く，着地の終わりまでしっかりコントロールしていること。	「抑え込み」と宣告があってから20秒間，相手を抑え込んだとき
⏱	□技あり	「一本」に必要な要素のいずれかが足りないとき	抑え込んで，10秒以上20秒未満経過したとき

□「参った」と言った時，手又は足で2度以上叩いた時も一本となる。

□抑え込みが継続している間，抑え込まれている「受」は関節技や絞め技を施すことができる。

● 勝負の判定

⏱ □「一本」または「技あり」を2回取ることで一本勝ちとなる。

⏱ □指導を3回受けると反則負けとなる。

⏱ □試合時間(4分間)を過ぎた場合，「技あり」があるほうが勝ちとなる。同数の場合は延長戦を行う。指導の数は考慮されない。

□試合時間が終了し，スコアが同じ場合は，「指導」の有無にかかわらず，ゴールデンスコア方式の延長戦となる。

● 柔道の創始者

□柔道の創始者は嘉納治五郎。1882年に講道館柔道を創始。

□【 精力善用 】…心身の力を最も有効に活用する。

□【 左座右起 】…正座する時は左足から座り，右足から立つ。

剣道

1 剣道の基本動作

以下の3つの項目に分けてみていこう❶。

● 構え

□【 自然体 】…安定感があり，身体のどこにも無理がなく，相手のどのような変化にも適切に対応できる永続性のある姿勢。

□【 中段の構え 】…攻撃，防御両方に最も適した構え方。

● 足さばき

□【 歩み足 】…平常の歩行のように，右足，左足を交互に動かして進んだり，退いたりする。

□【 送り足 】…移動する方向に近い方の足から踏み出し，他の足を直ちに送り込むように引き付ける。

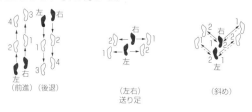

（前進）（後退）　　（左右）送り足　　（斜め）

□【 開き足 】…移動する方向の足から踏み出し，次いで他の足を直ちに移動した足の後ろに引き付ける。

□【 継ぎ足 】…左足を右足の位置まで引き付けたと同時に右足から大きく踏み出す。

● 重要用語

□【 つばぜり合い 】…竹刀のつば付近で相手と接し，相手の出方を探り合う状態。

❶本テーマの記述は，文部科学省「剣道指導の手引」（2010年3月）に依拠している。

⏱□【 有効打突 】…充実した気勢，適正な姿勢をもって，竹刀の打突部
　　で打突部位を刃筋正しく打突し，残心あるもの。**相打ちは除外**。

　□竹刀の打突部は，物打を中心とした刃部（弦の反対側）とする。

　□打突部位は，面部，小手部，胴部，突部とする。

　□【 見取り稽古 】…他人の稽古や試合等を見て学ぶ練習。

2 剣道の対人的技能

　　文部科学省の手引で挙げられている技を，体系立ててみよう。

●しかけ技

⏱□【 しかけ技 】…相手が打突を起こす前に自分からしかけていく技。

イ) 払い技	①払い面，②払い小手，③払い胴，④払い突き
ロ) 二段の技	①面－面，②面－胴，③小手－面，④小手－胴，⑤突き－面，⑥突き－小手，⑦小手－面－胴
ハ) 出ばな技	①出ばな面，②出ばな小手
ニ) 引き技	①引き面，②引き小手，③引き胴

　□【 払い技 】…打ち込む隙がない時，相手の竹刀を右または左に払っ
　　て，構えを崩すと同時に打突する技。

　□【 二段の技 】…最初の打突を打ち損じたときに，隙が生じた部位を
　　即座に打つ技。

⏱□【 出ばな技 】…相手が攻め込もうとする，または，打ち込もうとす
　　る動作の起こりばなをとらえてすかさず打ち込む技。

　□【 引き技 】…体当たりで相手の構えが崩れ，隙が生じたときやつば
　　競り合いで隙が生じたところを，すかさず退きながら打つ技。

●応じ技

⏱□【 応じ技 】…相手の打突を竹刀操作と体さばきによって，抜き，す
　　り上げ，返し，打ち落とすなどして無効にし，すかさず打ち込む技。

イ) 抜き技	①面抜き胴，②面抜き面，③小手抜き面，④面抜き小手
ロ) すり上げ技	①小手すり上げ面，②面すり上げ面，③面すり上げ胴，④小手すり上げ小手，⑤突きすり上げ面
ハ) 返し技	①面返し胴，②面返し面，③小手返し面
ニ) 打ち落とし技	①胴打ち落とし面，②突き打ち落とし面

　□【 抜き技 】…相手の打ち込みに対して，身体をかわして空を打たせ

ると同時に打つ技。

□【　すり上げ技　】…打ち込んでくる相手の竹刀を自分の竹刀の左（右）
側面（しのぎ）ですり上げるようにして応じ，相手の打突を無効にする
と同時に打ち込む技。

□【　返し技　】…打ち込んでくる相手の竹刀を迎えるようにして応じる
と同時に竹刀を返して打つ技。

□【　打ち落とし技　】…打ち込んでくる相手の竹刀を，右下または，左
下に打ち落とし，相手の打突を無効にすると同時に，相手の隙をすか
さず打ち込む技。

3　剣道の技能の学習段階の例

高等学校新学習指導要領解説で例示されている表を掲げておく。

技		中学校１・２年生	中学校３年 高校入学年次	高校その次の 年次以降
しかけ技	二段の技	面－胴	→	→
		小手－面	→	→
			面－面	→
				小手－胴
	引き技	引き胴	→	→
			引き面	→
				引き小手
	出ばな技		出ばな面	→
				出ばな小手
	払い技		払い面	→
				払い小手
応じ技	抜き技	面抜き胴	→	→
			小手抜き面	→
	すり上げ技			小手すり上げ面
				面すり上げ面
	返し技			面返し胴
	打ち落とし技			胴打ち落とし面

□安全上の配慮から，授業では突き技は扱わない。

4　剣道のルール

●試合

🕐□試合時間は５分を基準とする（延長戦は３分）。高等学校では４分とさ
れることが多い。主審の「始め」という宣告で試合開始。

□試合は，３本勝負を原則とする。２本先取した側が勝ち。

●竹刀の部位

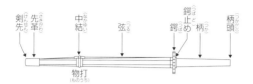

剣先
先革
中結
弦
鍔止め
鍔
柄
柄頭
物打

●反則と罰則

反則行為	罰則
□薬物を使用または保持すること □審判員または相手に対し, 非礼な言動をすること □定められた以外の用具(不正用具)を使用する	負け(相手に2本)
□相手に足を掛けまたは払う □相手に手を掛けまたは抱え込む □相手の竹刀を握るまたは自分の竹刀の刃部を握る □相手の竹刀を抱える □相手の肩に故意に竹刀をかける □倒れたとき, 相手の攻撃に対応することなく, うつ伏せなどになる □故意に時間の空費をする □不当なつば競り合いおよび打突をする	1回ごとに宣告が行われ, 2回犯した場合は, 相手に1本を与える

5 剣道の重要用語

□【 遠山の目付 】…遠くの山を見るように, 相手の構えの全体を見て, 弱点を見破る。

□【 気剣体の一致 】…充実した気勢, 正しい竹刀操作, および体さばきが一致すること。有効打突のための条件。

□【 懸待一致 】…攻めと守りが常に一致していること。攻め(守り)の時も, 守り(攻め)を忘れない。

□【 三殺法 】…相手の「剣, 技, 気」を殺すこと。

□【 残心 】…打突後も油断せず, 次の変化に即座に対応できるような身構えや心構えをとること。

□【 打突の好機 】…相手の「出頭」,「退くところ」,「技のつきたところ」,「居付いたところ」の4つが, 打突の好機であること。

□【 不動心 】…相手の変化や動きに惑わされず, 必要な時に真の実力を発揮できる心。

1　ダンスの内容(中学校第1・2学年)

創作ダンス，フォークダンス，現代的なリズムのダンスからなる。

● 知識及び技能

□(1)　次の運動について，感じを込めて踊ったりみんなで踊ったりす
　　る楽しさや喜びを味わい，ダンスの特性や由来，表現の仕方，そ
　　の運動に関連して高まる体力などを理解するとともに，イメージ
　　を捉えた表現や踊りを通した交流をすること。
　　　ア　創作ダンスでは，多様なテーマから表したいイメージを捉
　　　え，動きに変化を付けて即興的に表現したり，変化のあるひと
　　　まとまりの表現にしたりして踊ること。
　　　イ　フォークダンスでは，日本の民踊や外国の踊りから，それら
　　　の踊り方の特徴を捉え，音楽に合わせて特徴的なステップや動
　　　きで踊ること。
　　　ウ　現代的なリズムのダンスでは，**リズムの特徴を捉え**，変化の
　　　ある動きを組み合わせて，リズムに乗って全身で踊ること。

● 思考力，判断力，表現力等

□(2)　表現などの自己の課題を発見し，合理的な解決に向けて運動の
　　取り組み方を工夫するとともに，自己や仲間の考えたことを他者
　　に伝えること。

● 学びに向かう力，人間性等

□(3)　ダンスに積極的に取り組むとともに，仲間の学習を援助しよう
　　とすること，交流などの話合いに参加しようとすること，一人一

人の違いに応じた表現や役割を認めようとすることなどや，健康・安全に気を配ること。

2 ダンスの内容（中学校第3学年・高等学校入学年次）

● 知識及び技能

□(1) 次の運動について，感じを込めて踊ったり，みんなで自由に踊ったりする楽しさや喜びを味わい，ダンスの名称や用語，踊りの特徴と表現の仕方，交流や発表の仕方，運動観察の方法，**体力の高め方**などを理解するとともに，イメージを深めた表現や踊りを通した交流や発表をすること。

　ア　創作ダンスでは，表したいテーマにふさわしいイメージを捉え，**個や群**で，緩急強弱のある動きや空間の使い方で変化を付けて即興的に表現したり，簡単な作品にまとめたりして踊ること。

　イ　フォークダンスでは，日本の民踊や外国の踊りから，それらの踊り方の特徴を捉え，音楽に合わせて特徴的なステップや動きと組み方で踊ること。

　ウ　現代的なリズムのダンスでは，リズムの特徴を捉え，変化とまとまりを付けて，リズムに乗って全身で踊ること。

● 思考力，判断力，表現力等

□(2) 表現などの自己や仲間の課題を発見し，合理的な解決に向けて運動の取り組み方を工夫するとともに，自己や仲間の考えたことを他者に伝えること。

● 学びに向かう力，人間性等

□(3) ダンスに自主的に取り組むとともに，互いに助け合い教え合おうとすること，作品や発表などの話合いに貢献しようとすること，一人一人の違いに応じた表現や役割を大切にしようとすることなどや，健康・安全を確保すること。

122〜123ページの(1)の下線部について掘り下げよう。

□ **踊り方の特徴を捉え**とは，日本の民踊では，地域に伝承されてきた民踊や代表的な日本の民踊を取り上げ，その特徴を捉えることである。例えば，日本の民踊には，着物の袖口から出ている手の動きと裾さばきなどの足の動き，低く踏みしめるような足どりと**腰の動き，ナンバ**（左右同側の手足を同時に前に振り出す動作）の動き，小道具を操作する動き，**輪踊り**，男踊りや女踊り，歌や掛け声を伴った踊りなどの特徴がある。

□ **リズムの特徴を捉え**とは，例えば，ロックの場合は，シンプルな**ビート**を強調することを示している。また，**ヒップホップ**の場合は，ロックよりも遅いテンポで強いアクセントがあるため，1拍ごとにアクセントのある細分化されたビートを強調することを示している。

□ **体力の高め方**では，ダンスのパフォーマンスは，体力要素の中でも，主として**柔軟性**，平衡性，**全身持久力**などに影響を与える。そのため，いろいろな動きと関連させた柔軟運動や**リズミカル**な全身運動をすることで，結果として**体力**を高めることができることを理解できるようにする。

⏱ □ **個や群での動き**とは，即興的に表現したり作品にまとめたりする際のグループにおける個人や集団の動きを示している。個人や集団の動きには，主役と脇役の動き，一斉の同じ動き（**ユニゾン**）やばらばらの異なる動き，集団の動きを少しずつずらした動き（**カノン**），密集や**分散**の動きなどがある。

⏱ □ (1)の運動については，アからウまでの中から**選択**して履修できるようにすること。なお，学校や地域の実態に応じて，**その他**のダンスについても履修させることができること。

中学校と同じく，3つの種目から選択履修させる。

●知識及び技能

□(1) 次の運動について，感じを込めて踊ったり仲間と自由に踊ったり，自己や仲間の課題を解決したりするなどの多様な楽しさや喜びを味わい，ダンスの名称や用語，**文化的背景**と<u>表現の仕方</u>，**交流**や発表の仕方，課題解決の方法，<u>体力の高め方</u>などを理解するとともに，それぞれ特有の表現や踊りを身に付けて交流や**発表**をすること。

ア **創作ダンス**では，表したいテーマにふさわしいイメージを捉え，個や群で，対極の動きや空間の使い方で変化を付けて即興的に表現したり，イメージを強調した作品にまとめたりして踊ること。

イ **フォークダンス**では，日本の民踊や外国の踊りから，それらの踊り方の特徴を強調して，音楽に合わせて多様なステップや動きと組み方で仲間と対応して踊ること。

ウ **現代的なリズム**のダンスでは，リズムの特徴を強調して全身で自由に踊ったり，変化とまとまりを付けて仲間と対応したりして踊ること。

●思考力，判断力，表現力等

□(2) 生涯にわたって運動を豊かに継続するための自己や仲間の課題を発見し，**合理的**，計画的な解決に向けて取り組み方を工夫するとともに，自己や仲間の考えたことを他者に**伝える**こと。

●学びに向かう力，人間性等

□(3) ダンスに**主体的**に取り組むとともに，互いに共感し高め合おうとすること，**合意形成**に貢献しようとすること，一人一人の違いに応じた表現や役割を大切にしようとすることなどや，健康・安全を確保すること。

6 ダンスの内容の取扱い（高等学校）

□「Gダンス」の(1)の運動については，アからウまでの中から**選択**して履修できるようにすること。

□学校や地域の実態に応じて，**社交ダンス**などのその他のダンスについても履修させることができること。

体育

ダンスの内容

● **体育（ダンス）**

創作ダンス

頻出度 **C**

ここが出る！ ▶▶

- 学習指導要領解説に掲載されている，創作ダンスの「表したいテーマと題材や動きの例示」を押さえよう。
- 中学校第3学年以降，「はこびとストーリー」という題材が例示されている。このように，各段階の内容の区別をつけておこう。

1 中学校第1・2学年

題材と動きの5大区分を押さえよう。

□身近な生活や日常動作（スポーツいろいろ，働く人々）

- 一番表したい場面や動きを，**スローモーション**の動きで誇張したり，何回も繰り返したりして表現すること。

□対極の動きの連続など（走る—跳ぶ—転がる，走る—止まる，伸びる—縮む）

- 「走る—跳ぶ—転がる」などをひと流れでダイナミックに動いてみてイメージを広げ，変化や連続の動きを組み合わせて表現すること。

□多様な感じ（激しい，急変する，軽快な，やわらかい，鋭い）

- 生活や自然現象，人間の感情などの中からイメージをとらえ，緩急や強弱，静と動などの動きを組み合わせて変化やめりはりを付けて表現すること。

□群（集団）の動き（集まる—とび散る，磁石，エネルギー，対決）

- 仲間とかかわり合いながら密集や分散を繰り返し，ダイナミックに空間が変化する動きで表現すること。

□もの（小道具）を使う（新聞紙，布，ゴムなど）

- ものを何かに見立ててイメージをふくらませ，変化のある簡単なひとまとまりの表現にして踊ったり，場面の転換に変化を付けて表現したりすること。

2 中学校第3学年・高等学校入学年次

「はこびとストーリー」という新たな題材が加わる。

□身近な生活や日常動作（出会いと別れ，街の風景，綴られた日記）

- 「出会いと別れ」では，すれ違ったりくっついたり離れたりなどの動

きを，緩急強弱をつけて繰り返して表現すること。

□対極の動きの連続(ねじる—回る—見る)

　・「ねじる—回る—見る」では，ゆっくりギリギリまでねじって力をた
　　めておき，素早く振りほどくように回って止まり，視線を決めるな
　　ど変化や連続のあるひと流れの動きで表現すること。

□多様な感じ(静かな，落ち着いた，重々しい，**力強い**)

　・「力強い感じ」では，力強く全身で表現するところを盛り上げて，そ
　　の前後は弱い表現にして対照を明確にするような簡単な構成で表現
　　すること。

□群(集団)の動き(大回り—小回り，主役と脇役，迷路，都会の孤独)

　・「大回り—小回り」では，大きな円や小さな円を描くなどをとおして，
　　ダイナミックに空間が変化するように動くこと。

□もの(小道具)を使う(椅子，楽器，ロープ，傘)

　・「椅子」では，椅子に登る，座る，隠れる，横たわる，運ぶなどの動
　　きを繰り返して，「もの」とのかかわり方に着目して表現すること。

□はこびと**ストーリー**(起承転結，物語)

　・気に入ったテーマを選び，**ストーリー性**のあるはこびで，一番表現
　　したい中心の場面を「ひと流れの動き」で表現して，はじめとおわり
　　を付けて簡単な作品にまとめて踊ること。

3　高等学校その次の年次以降

□**身近な生活や日常動作**(「ただ今，猛勉強中」，シャッターチャンス，
　クラス討論)

□**対極の動きの連続**(伸びる—落ちる—回る・転がる)

□**多様な感じ**(激しい・静かな，急変する・持続する，鋭い・柔らかい，
　素早い・ゆっくりしたなどの多様な感じの中から**対照的な感じを表現**)

🕐□群(集団)の動き(**カノン**，**ユニゾン**，密集—分散，列や円)

　・**ユニゾン**は一斉の同じ動き，**カノン**は集団の動きを少しずつずらし
　　た動きを指す。

□**もの**(小道具)を使った動き(大きな布，机，ティッシュペーパー，新
　聞紙のボールなど質感や大きさの異なる「もの」を取り上げる)

□はこびとストーリー(気に入った**小説**，詩，絵画などのテーマから作
　品をまとめる)

ここが出る！ ▶▶
・フォークダンスは，日本の民謡と外国のフォークダンスからなる。学習指導要領解説で例示されているものを知っておこう。
・各ダンスの名称，生まれた国，そして主なステップを対応させて記憶すること。例：「オスロワルツ－イギリス－ワルツターン」

1 中学校第1・2学年

● 日本の民謡

□ 花笠音頭などの小道具を操作する踊りでは，曲調と手足の動きを一致させて，にぎやかな掛け声と歯切れのよい動きで踊ること。

□ げんげんばらばらなどの童歌の踊りでは，軽快で躍動的な動きで踊ること。

□ 鹿児島おはら節などの躍動的な動作が多い踊りでは，勢いのある蹴りだし足やパッと開く手の動きで踊ること。

● 外国のフォークダンス

□ オクラホマ・ミクサー（アメリカ）などのパートナーチェンジのある踊りでは，滑らかなパートナーチェンジとともに，軽快なステップで相手と合わせて躍ること。

□ ドードレブスカ・ポルカ（旧チェコスロバキア）やリトルマン・フィックス（デンマーク）などの隊形が変化する踊りでは，新しいカップルを見付けるとともに，滑らかなステップやターンなどを軽快に行い踊ること。

□ バージニア・リール（アメリカ）などの隊形を組む踊りでは，列の先頭のカップルに動きを合わせて踊ること。

2 中学校第3学年・高等学校入学年次

● 日本の民謡

□ よさこい鳴子踊りなどの小道具を操作する踊りでは，手に持つ鳴子のリズムに合わせて，沈み込んだり飛び跳ねたりする躍動的な動きで踊ること。

□ 越中おわら節などの労働の作業動作に由来をもつ踊りでは，種まきや

稲刈りなどの手振りの動きを強調して踊ること。

□こまづくり唄などの作業動作に由来をもつ踊りでは，踊り手がコマに
　なったり手拭いでコマを回したりする動作を強調して踊ること。

□大漁唄い込みなどの力強い踊りでは，腰を低くして踊ること。

●外国のフォークダンス

□ヒンキー・ディンキー・パーリ・ブー(アメリカ)などのゲーム的な要
　素が入った踊りでは，グランド・チェーンの行い方を覚えて次々と替
　わる相手と合わせて踊ること。

□ハーモニカ(イスラエル)などの軽やかなステップの踊りでは，グレー
　プバインステップやハーモニカステップなどをリズミカルに行って踊
　ること。

⏱□オスローワルツ(イギリス)などの順次パートナーを替えていく踊りで
　は，ワルツターンで円周上を進んで踊ること。

□ラ・クカラーチャ(メキシコ)などの独特のリズムの踊りでは，リズム
　に合わせたスタンプやミクサーして踊ること。

3　高等学校その次の年次以降

踊って交流して楽しむことができるようにする。

●日本の民謡

□優美な所作の踊りでは，手振りや足の運びの滑らかな流れを強調して
　静かに踊ること。

□女踊りと男踊りのある踊りでは，女踊りのしなやかな手振りや男踊り
　の力強く踏み込む動きなどを強調して踊ること。

●外国のフォークダンス

⏱□速いリズムに合わせた踊りでは，カップルでツーステップターンを用
　いて踊ったり，輪になって全員でグランド・チェーンをしたりして軽
　快に踊ること。

□アクセントのはっきりしたリズムに合わせた踊りでは，切れ味のよい
　動きで相手と対応して踊ること。

□オープンサークルの踊りでは，全員で手をつないで，いろいろなステ
　ップを用いて移動したりして踊ること。

□カップルダンスでは，ワルツステップやターンなどを用いて相手と対
　応して滑らかに踊ること。

体育

フォークダンス

現代的なリズムのダンス

頻出度 **B**

・創作ダンス，フォークダンスと同様，学習指導要領解説で例示されている動きについて押さえよう。
・学習指導要領解説でいわれている，選曲の際の配慮事項について知っておこう。

1 中学校第1・2学年

学習指導要領解説にて，4つの動きが例示されている。

● リズムと動きの例示

□自然な弾みや**スイング**などの動きで気持ちよく音楽の**ビート**に乗れるように，簡単な繰り返しのリズムで踊ること。

□軽快なリズムに乗って弾みながら，揺れる，回る，**ステップ**を踏んで手をたたく，ストップを入れるなどリズムをとらえて自由に踊ったり，相手の動きに合わせたりずらしたり，手をつなぐなど相手と対応しながら踊ること。

□**シンコペーション**やアフタービート，休止や倍速など，リズムに変化を付けて踊ること❶。

□短い動きを繰り返す，対立する動きを組み合わせる，ダイナミックな**アクセント**を加えるなどして，リズムに乗って続けて踊ること。

● 補説

□動きやすい**ビート**とテンポを選んで踊るようにする。

□生徒の関心の高い曲目を用いたり，弾んで踊れるようなやや**速め**の軽快なテンポの曲や曲調の異なる**ロック**や**ヒップホップ**のリズムの曲などを組み合わせたりする工夫も考えられる。

2 中学校第3学年・高等学校入学年次

ロックやヒップホップなど，具体的なジャンル名が出てくる。

● リズムと動きの例示

□簡単なリズムの取り方や動きで，音楽のリズムに同調したり，**体幹部**

❶シンコペーションとは，拍子の強弱を逆転ないしは変化させることである。アフタービートとは，後拍を強調することである。

を中心としたシンプルに弾む動きをしたりして自由に踊ること。

□軽快な**ロック**では，全身でビートに合わせて弾んだり，ビートのきいた**ヒップホップ**では膝の上下に合わせて腕を動かしたりストップするようにしたりして踊ること。

□リズムの取り方や動きの連続のさせ方を組み合わせて，動きに**変化**を付けて踊ること。

□リズムや音楽に合わせて，独自のリズムパターン，動きの連続や**群**の構成で**まとまり**を付けて踊ること。

●補説

□指導に際しては，**ロック**や**ヒップホップ**などのリズムに合った曲を，指導の段階に応じてグループごとに選曲させる。

□現代的なリズムのダンスでは，既存の振り付けなどを**模倣**することに重点があるのではなく，**変化**と**まとまり**を付けて，全身で自由に続けて踊ることを強調する。

3 高等学校その次の年次以降

●リズムと動きの例示

□**ロック**では，軽快なリズムに乗って全身を弾ませながら，後打ち(**アフタービート**)のリズムの特徴を捉えたステップや**体幹部**を中心とした弾む動きで自由に踊ること。

□**ヒップホップ**では，リズムの特徴を捉えたステップやターンなどの組合せに上半身の動きを付けたり，音楽の拍に乗せ(**オンビート**)て膝の曲げ伸ばしによる重心の上下動を意識したリズム(ダウンやアップのリズム)を強調してリズムに乗ったり，リズムに変化を与えるために**アクセント**の位置をずらしたりして自由に踊ること。

□リズムの取り方や床を使った動きなどで変化を付けたり，身体の部位の強調などで動きに**メリハリ**を付けて，二人組や**小グループ**で掛け合って全身で自由に踊ること。

□選んだリズムや音楽の特徴を捉え，**変化**のある動きを連続して，個と群や空間の使い方を強調した構成で**まとまり**を付けて踊ること。

●補説

□指導に際しては，指導の段階に応じてグループごとに**選曲**し，リズムの特徴を捉えた**独自**な動きを楽しんで踊ることができるようにする。

体育理論の内容

ここが出る！ ▶▶

- 中学校第3学年の内容「文化としてのスポーツの意義」についてよく問われる。オリンピックなどの行事は，国際親善に大きく寄与している。
- 高等学校の体育理論の内容は3つの柱からなる。それぞれを扱う学年を知っておこう。内容を識別させる問題がよく出る。

1 体育理論の内容（中学校第1・2学年）

● 運動やスポーツの多様性

□(1) 運動やスポーツが多様であることについて，課題を発見し，その解決を目指した活動を通して，次の事項を身に付けることができるよう指導する。

ア 運動やスポーツが多様であることについて理解すること。

ア）運動やスポーツは，体を動かしたり健康を維持したりするなどの必要性及び競い合うことや課題を達成することなどの楽しさから生みだされ発展してきたこと。

イ）運動やスポーツには，行うこと，見ること，支えること及び知ることなどの多様な関わり方があること。

ウ）世代や機会に応じて，生涯にわたって運動やスポーツを楽しむためには，自己に適した多様な楽しみ方を見付けたり，工夫したりすることが大切であること。

イ 運動やスポーツが多様であることについて，自己の課題を発見し，よりよい解決に向けて思考し判断するとともに，他者に伝えること。

ウ 運動やスポーツが多様であることについての学習に積極的に取り組むこと。

● 運動やスポーツの意義や効果と学び方や安全な行い方

□(2) 運動やスポーツの意義や効果と学び方や安全な行い方について，課題を発見し，その解決を目指した活動を通して，次の事項を身に付けることができるよう指導する。

　　ア　運動やスポーツの意義や効果と学び方や安全な行い方につい
　　　て理解すること。
　　　ア）運動やスポーツは，身体の発達やその機能の維持，**体力**の
　　　　向上などの効果や自信の獲得，**ストレス**の解消などの心理的
　　　　効果及びルールや**マナー**について合意したり，適切な人間関
　　　　係を築いたりするなどの**社会性**を高める効果が期待できること。
　　　イ）運動やスポーツには，特有の**技術**があり，その学び方には，
　　　　運動の課題を**合理的**に解決するための一定の方法があること。
　　　ウ）運動やスポーツを行う際は，その特性や目的，**発達**の段階
　　　　や体調などを踏まえて運動を選ぶなど，健康・安全に留意す
　　　　る必要があること。
　　イ　運動やスポーツの意義や効果と学び方や安全な行い方につい
　　　て，自己の課題を発見し，よりよい解決に向けて思考し判断す
　　　るとともに，他者に伝えること。
　　ウ　運動やスポーツの意義や効果と学び方や**安全**な行い方につい
　　　ての学習に**積極的**に取り組むこと。

□安全に運動やスポーツを行うためには，特性や目的に適した運動やス
　ポーツを選択し，発達の段階に応じた**強度**，時間，頻度に配慮した計
　画を立案すること，体調，施設や用具の**安全**を事前に確認すること，
　準備運動や**整理運動**を適切に実施すること，運動やスポーツの実施中
　や実施後には，適切な休憩や**水分補給**を行うこと，共に活動する仲間
　の**安全**にも配慮することなどが重要であることを理解できるようにす
　る。

2　体育理論の内容（中学校第3学年）

第3学年では「文化としてのスポーツの意義」を学ぶ。

□(1)　文化としてのスポーツの意義について理解すること。
　　ア）スポーツは，**文化的**な生活を営みよりよく生きていくために
　　　重要であること。
　　イ）オリンピックや**パラリンピック**及び国際的なスポーツ大会な
　　　どは，**国際親善**や世界平和に大きな役割を果たしていること。

ウ）スポーツは，民族や国，人種や性，障害の違いなどを超えて
　　　人々を結び付けていること。

□現代生活におけるスポーツは，生きがいのある豊かな人生を送るため
　に必要な健やかな心身，豊かな交流や伸びやかな自己開発の機会を提
　供する重要な文化的意義をもっていることを理解できるようにする。
　（ア）

□オリンピック・パラリンピック競技大会や国際的なスポーツ大会など
　は，世界中の人々にスポーツのもつ教育的な意義や倫理的な価値を伝
　えたり，人々の相互理解を深めたりすることで，国際親善や世界平和
　に大きな役割を果たしていることを理解できるようにする。（イ）

3　体育理論の内容（高等学校）

● スポーツの文化的特性や現代のスポーツの発展

□(1)　スポーツの文化的特性や現代のスポーツの発展について理解す
　　ること。
　　ア　スポーツは，人類の歴史とともに始まり，その理念が時代に
　　　応じて多様に変容してきていること。また，我が国から世界に
　　　普及し，発展しているスポーツがあること。
　　イ　現代のスポーツは，オリンピックやパラリンピック等の国際
　　　大会を通して，国際親善や世界平和に大きな役割を果たし，共
　　　生社会の実現にも寄与していること。また，ドーピングは，フ
　　　ェアプレイの精神に反するなど，能力の限界に挑戦するスポー
　　　ツの文化的価値を失わせること。
　　ウ　現代のスポーツは，経済的な波及効果があり，スポーツ産業
　　　が経済の中で大きな影響を及ぼしていること。また，スポーツ
　　　の経済的な波及効果が高まるにつれ，スポーツの高潔さなどが
　　　一層求められること。
　　エ　スポーツを行う際は，スポーツが環境や社会にもたらす影響
　　　を考慮し，多様性への理解や持続可能な社会の実現に寄与する
　　　責任ある行動が求められること。

● 運動やスポーツの効果的な学習の仕方

□(2) 運動やスポーツの効果的な学習の仕方について理解すること。

ア 運動やスポーツの技能と体力は，相互に関連していること。また，期待する成果に応じた技能や体力の高め方があること。さらに，過度な負荷や長期的な酷使は，けがや疾病の原因となる可能性があること。

イ 運動やスポーツの技術は，学習を通して技能として発揮されるようになること。また，技術の種類に応じた学習の仕方があること。現代のスポーツの技術や戦術，ルールは，用具の改良やメディアの発達に伴い変わり続けていること。

ウ 運動やスポーツの技能の上達過程にはいくつかの段階があり，その学習の段階に応じた練習方法や運動観察の方法，課題の設定方法などがあること。また，これらの獲得には，一定の期間がかかること。

エ 運動やスポーツを行う際は，気象条件の変化など様々な危険を予見し，回避することが求められること。

● 豊かなスポーツライフの設計の仕方

□(3) 豊かなスポーツライフの設計の仕方について理解すること。

ア スポーツは，各ライフステージにおける身体的，心理的，社会的特徴に応じた多様な楽しみ方があること。また，その楽しみ方は，個人のスポーツに対する欲求などによっても変化すること。

イ 生涯にわたってスポーツを継続するためには，ライフスタイルに応じたスポーツとの関わり方を見付けること，仕事と生活の調和を図ること，運動の機会を生み出す工夫をすることなどが必要であること。

ウ スポーツの推進は，様々な施策や組織，人々の支援や参画によって支えられていること。

エ 人生に潤いをもたらす貴重な文化的資源として，スポーツを未来に継承するためには，スポーツの可能性と問題点を踏まえて適切な「する，みる，支える，知る」などの関わりが求められること。

- スポーツは文化としての側面を持っている。スポーツは「する」だけでなく，「みる」「支える」「知る」という関わり方もある。
- スポーツにはどのような効果が期待されるか。体と心にもたらす効果を分けて知っておこう。

1 文化としてのスポーツ

スポーツの歴史と意義に関することである。『高等学校学習指導要領解説・保健体育編』の記述が分かりやすい。

● **スポーツの歴史的発展と多様な変化**

□スポーツは，人類の歴史とともに世界各地で日常の遊びや生活などから生まれてきた。

□近代になって，スポーツは娯楽から競技に変化し，一般の人びとに広がっていった。

□現代では，競技だけでなく，広く**身体表現**や**身体活動**を含む概念としてスポーツが用いられるようになってきており，その理念が時代に応じて多様に**変容**してきている。

□近年では，我が国から世界に普及し，発展しているスポーツがあり，日本の文化の発信に貢献している。＊**弓道**，**ソフトテニス**，**駅伝**，なぎなた等。

● **現代のスポーツの意義や価値**

□現代のスポーツは，国際親善や世界平和に大きな役割を果たしており，その代表的なものに**オリンピック**や**パラリンピック**等の国際大会がある。

□**オリンピックムーブメント**は，オリンピック競技大会を通じて，人々の友好を深め世界の平和に貢献しようとするものである。

□パラリンピック等の国際大会が，障害の有無等を超えてスポーツを楽しむことができる**共生社会**の実現に寄与している。

□現代のオリンピック競技種目の多くは，19世紀に**イギリス**で発祥し発展してきた。

□競技会での勝利が個人や国家等に多大な利益をもたらすようになると

ドーピング（禁止薬物使用等）が社会問題として取り上げられるようになった。ドーピングは不当に勝利を得ようとするフェアプレイの精神に反する不正な行為であり，能力の限界に挑戦するスポーツの**文化的価値**を失わせる行為である。

□現代のスポーツの**経済的効果**には，スポーツの実施による直接的な効果のみならず，例えば，スポーツ用品，スポーツに関する情報や**サービス**，スポーツ施設などの広範な業種から構成されるスポーツ産業による効果，スポーツイベント等による**波及的**な経済的効果があり，経済活動に大きな影響を及ぼしている。

●**豊かなスポーツライフが広がる未来の社会**

□「する」だけでなく，豊かな**スポーツライフ**を実現するための「みる」，「支える」，「知る」などの卒業後のスポーツへの多様な関わり方を構想したり，設計したりすることが重要である。

2 スポーツの効果

心身や社会性に及ぼす効果についてである。『中学校学習指導要領解説・保健体育編』を参照。

□運動やスポーツは，心身両面への効果が期待できる。

□体との関連では，発達の段階を踏まえて，適切に運動やスポーツを行うことは，身体の発達やその機能，体力や運動の技能を維持，向上させるという効果があることや**食生活**の改善と関連させることで**肥満予防**の効果が期待できる。

□心との関連では，発達の段階を踏まえて，適切に運動やスポーツを行うことで達成感を得たり，自己の能力に対する**自信**をもったりすることができること，**ストレス**を解消したりリラックスしたりすることができること，などの効果が期待できる。

□体力や技能の程度，年齢や性別，障害の有無等の様々な違いを超えて，運動やスポーツを行う際に，**ルールやマナー**に関して合意形成することや適切な人間関係を築くことなどの社会性が求められることから，例えば，違いに配慮したルールを受け入れたり，仲間と教え合ったり，相手のよいプレイに称賛を送ったりすることなどを通して**社会性**が高まる。

ここが出る! ▶▶

- 前テーマでみた体力の各要素が，新体力テストのどの種目で計測されるのかを押さえよう。
- 新体力テストの各種目の実施要項に関する文章の正誤判定問題が多い。実施回数や計測時間など，細かい部分まで覚えること。

1 新体力テストの種目と実施上の注意事項

12～19歳の新体力テストは，8つの種目で実施される。

●枠組み

□新体力テスト8項目の運動特性は，①「すばやさ」，②「動きを持続する能力（ねばり強さ）」，③「タイミングの良さ」，④「力強さ」，⑤「体の柔らかさ」の5つに整理することができる。

●種目

種目	体力評価	運動特性	10点の記録（男）
□握力	筋力	④	56kg以上
□上体起こし	筋力・筋持久力	②，④	35回以上
□長座体前屈	柔軟性	⑤	64cm以上
□反復横とび	敏捷性	①，③	63点以上
□持久走*	全身持久力	②	4分59秒以下
□20mシャトルラン*		②	125回以上
□50m走	スピード	①，④	6.6秒以下
□立ち幅とび	瞬発力	③，④	265cm以上
□ハンドボール投げ	巧ち性・瞬発力	③，④	37m以上

＊持久走と20mシャトルランは，いずれかを選択する。

□テストの順序は定められてはいないが，持久走，20mシャトルラン（往復持久走）は最後に実施する。

2 握力・上体起こしの実施要項

表記の各種目について，実施方法や記録方法をみていこう。文部科学省ホームページに掲載されている実施要項を参照。

●握力

□握力計の指針が外側になるように持ち，握る。人差し指の第2関節が，ほぼ直角になるように握り幅を調節する。

□直立の姿勢で両足を左右に自然に開き腕を自然に下げ，握力計を身体や衣服に触れないようにして握りしめる。右左交互に２回ずつ実施。

□左右おのおののよい方の記録を平均する（kg未満は四捨五入）。

□このテストは，右左の順に行う。

● 上体起こし

□マット上で仰臥姿勢をとり，両手を軽く握り，両腕を胸の前で組む。両膝の角度を90度に保つ。

□「始め」の合図で，仰臥姿勢から，両肘と両大腿部がつくまで上体を起こす。

□30秒間，前述の上体起こしを出来るだけ多く繰り返す。

□30秒間の上体起こし（両肘と両大腿部がついた）回数を記録する。

□両腕を組み，両脇をしめる。仰臥姿勢の際は，背中（肩甲骨）がマットにつくまで上体を倒す。

3 長座体前屈・反復横とびの実施要項

次に，柔軟性や敏捷性を測る２種目をみてみよう。

● 長座体前屈

□被測定者は，両脚を両箱の間に入れ，長座姿勢をとる。

□初期姿勢をとったときの箱の手前右または左の角に零点を合わせる。

□被測定者は，両手を厚紙から離さずにゆっくりと前屈して，箱全体を真っ直ぐ前方にできるだけ遠くまで滑らせる。

□初期姿勢から最大前屈時の箱の移動距離をスケールから読み取る。

□２回実施してよい方の記録をとる。

□前屈姿勢をとったとき，膝が曲がらないように気をつける。

● 反復横とび

□中央ラインをひき，その両側100cmのところに２本の平行ラインをひく。

□中央ラインをまたいで立ち，「始め」の合図で右側のラインを越すか，または，踏むまでサイドステップし，次に中央ラインにもどり，さらに左側のラインを越すかまたは触れるまでサイドステップする。

□上記の運動を20秒間繰り返し，それぞれのラインを通過するごとに１点を与える。テストを２回実施してよい方の記録をとる。

体育

新体力テスト

これら2種目は，いずれかを選択することとされる。

● **持久走**

□スタートは**スタンディングスタート**の要領で行う。実施は1回。

⏱□男子は1500m，女子は1000mとする。

□スタートの合図からゴールライン上に胴（頭，肩，手，足ではない）が
到達するまでに要した時間を計測する。

● **20mシャトルラン**

□20m間隔の2本の平行線をひき，ポール4本を平行線の両端に立てる。

□一定の間隔で1音ずつ電子音が鳴る。電子音が次に鳴るまでに20m先
の線に達し，足が線を越えるか，触れたら，その場で向きを変える。

□電子音で設定された**速度**を維持できなくなり走るのをやめたとき，2回
続けて足が線に触れなかったとき，テストを終了する。

□テスト終了時の折り返しの総回数を記録とする。

最後に，スピードや瞬発力を測る3種目についてである。

● **50m走**

⏱□スタートは，**クラウチングスタート**の要領で行う。実施は1回。

□スタートの合図からゴールライン上に胴（頭，肩，手，足ではない）が
到達するまでに要した時間を計測する。

□記録は0.1秒単位とし，0.1秒未満は切り上げる。

● **立ち幅とび**

□両足を軽く開いて，つま先が**踏み切り線**の前端にそろうように立つ。

□両足で同時に踏み切って前方へとぶ。

□身体が砂場（マット）に触れた位置のうち，最も**踏み切り線**に近い位置
と，踏み切り前の両足の中央の位置（踏み切り線の前端）とを結ぶ**直線**
の距離を計測する。2回実施してよい方の記録をとる。

● **ハンドボール投げ**

⏱□平坦な地面上に直径2mの円を描き，円の中心から投球方向に向かっ
て，中心角30度になるように直線を2本引き，その間に同心円弧を1
m間隔に描く。

□ボールが落下した地点までの距離を，あらかじめ1m間隔に描かれた円弧によって計測する。2回実施してよい方の記録をとる。

□投球のフォームは自由。できるだけ「下手投げ」をしない方がよい。

6 体力

体力の2大分類と，各々に含まれる細かい要素を覚えよう。

●体力の構成要素

□体力の要素は，以下のように樹形図の形で整理される。運動をするための行動力と，健康に生きるための生存力に分かれる。

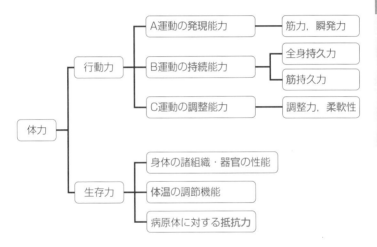

□【 行動力 】…調整力，瞬発力，持久力などを要素とする運動をするための基礎となる身体的能力のこと。エネルギー的体力（上図のA，B）と，それを調整するサイバネティックス的体力（C）に分かれる。

□【 生存力 】…体の健康を維持し，病気にならないようにする体力のこと。抵抗力，防衛体力ともいう。

●体力の発達量

□一般的に小学校の初期段階では巧みさが最も年間発達量が高く，中学校の初期段階では粘り強さが高くなる。

□力強さは，中学校から高等学校にかけて発達量が最も高くなる。

運動生理学

頻出度 A

1 筋肉の構造

●筋肉の成り立ち

□数千の筋繊維が束ねられたものが筋束で，この筋束が集まって筋肉に
なっている。

□【 ルーの法則 】…筋肉は適度な運動で発達し，使わないと萎縮す
る。過度な運動は，筋肉の障害を引き起こす。

●随意筋と不随意筋

□【 随意筋 】…自分の意志でコントロールできる筋肉。しま模様（横
紋）がある**骨格筋**が該当する。

□【 不随意筋 】…自分の意志でコントロールできない筋肉。内臓諸器
官を構成する**内臓筋**が該当する。心臓を構成する筋を心筋という。

●随意筋（骨格筋）の種類

	概念	競技適性
□白筋	収縮速度は速いが疲れやすい速筋繊維。白く見える。	瞬発力があるので，短距離走に適する。
□赤筋	収縮速度は遅いが，持久性に優れた遅筋繊維。赤く見える。	持久力があるので，長距離走に適する。

□白筋はミトコンドリアの密度が低く，赤筋はそれが高い。

2 筋収縮

●筋収縮の種類

□【 アイソメトリック 】…筋肉の長さを変えないで力を発揮する収
縮。物を保持している時や，壁を押している時など。（等尺性）

□【 コンセントリック 】…筋肉が短縮しながら力を発揮する収縮。腕
を伸ばして上の棚に荷物を載せる時など。（短縮性）

□【 エキセントリック 】…筋肉が伸ばされながら力を発揮する収縮。
（伸張性）

● 筋収縮の仕組み

⏱□筋収縮のエネルギー源は，アデノシン三リン酸(ATP)である。

ケース	運動強度	分解物質	
無酸素運動	大（短時間）	クレアチンリン酸	⇒
	やや大（持続）	グリコーゲン*	⇒
有酸素運動	小	糖質，脂肪，タンパク質	⇒

□酸素が不足する状態では，グリコーゲンは乳酸となる。これが筋肉内
に一定以上蓄積されると，筋肉は収縮できなくなる。

□【 酸素負債 】…乳酸を分解するために摂取した酸素のこと。

3 運動

● 基本概念

□【 運動指令 】…脳から筋肉へ伝達される神経信号。

⏱□【 エアロビクス運動 】…酸素を取り入れながら持続して行う有酸素
運動。主に赤筋を使う。例：ジョギングなど。

⏱□【 アネロビクス運動 】…無呼吸で行う瞬発的な無酸素運動。主に白
筋を使う。例：筋力トレーニングなど。

● 運動に関わる指標

□【 エネルギー代謝率 】…活動時のエネルギー代謝量が，安静時のそ
れ（基礎代謝量）の何倍に当たるかを示す指標。略称RMR。

□【 最大酸素摂取量 】… 1 分間に取り入れることのできる酸素摂取量
の最大値。

□【 ボルグスケール 】…心拍数に対応した15段階のスケールを設定
し，それぞれに「楽」「きつい」などの言葉を対応させたもの。

□消費カロリー(kcal)＝メッツ×運動時間×体重

● スポーツ障害

□関節は，スポーツ障害が多く発症する部位である。

□投球障害肩は，関節の過使用や誤使用により発症することがあり，こ
れを防ぐには全身を使い，過負荷にならないよう関節を動作させる。

□【 オスグッド病 】…ジャンプやキックなど同じ動作を繰り返してい
ると，膝蓋腱にストレスがかかり，脛骨粗面に局限した痛みが出る。

トレーニング

▎**ここが出る!** ▶▶

・トレーニングを実施する際に留意すべき5つの原則はどのようなものか。

・トレーニングの主な種類を知っておこう。名称と説明文を結びつけさせる問題が多い。

1 トレーニングの基本原理

☐【 オーバーロードの原則 】…体力を高めるには，現在の体力レベルよりも高い運動刺激（**運動負荷**）を体に与える必要がある。

☐【 特異性の原則 】…トレーニングの目的に応じた運動を行う必要がある。たとえば，持久力を高めるには，持久的な運動を行う。

☐【 可逆性の原則 】…トレーニングで高めた体力や筋力も，トレーニングを止めると元のレベルに戻る。

☐【 超回復 】…難度や強度の高い運動を行うと疲労で体の機能は一時的に低下するが，適度な休養で前より高いレベルにまで回復する。

☐オーバートレーニング（やり過ぎ）はトレーニングの効果を妨げるとともに，**疲労骨折**や貧血の原因となる。

☐【 疲労骨折 】…繰り返し与えられる負荷により，骨に疲労がたまり，骨折すること。

2 トレーニングの実際

● トレーニング処方

自分の体力水準や健康状態などを勘案した上で，以下の3つを決める。

☐【 運動強度 】…体に及ぼす運動刺激の強さ。運動時の酸素摂取量や心拍数などで表される。運動強度と血中乳酸濃度の関係をラクテートカーブという❶。

☐【 運動時間 】…1回当たりの運動時間。**運動量**は，運動強度と運動時間の関係で決まる。

☐【 運動頻度 】…1週間当たりの運動回数。頻度は少なすぎても多すぎてもいけない。

❶血中乳酸濃度が急激に増加し始める点をLTという。

● トレーニングの5原則

⏱□【 意識性 】…トレーニングの意義と目的を理解して行う。

⏱□【 全面性 】…心身の機能が，調和的・全面的に高まるようにする。

⏱□【 個別性 】…個人の特徴に応じたトレーニングを行う。

⏱□【 反復性 】…運動を繰り返し行うことで，効果が表れる。

⏱□【 漸進性 】…体力の向上に応じ，徐々に運動の強度や量を上げる。

3 トレーニングの種類

●持久力を高めるトレーニング

□【 持続トレーニング 】…毎分120～150拍程度の心拍数を保持しながら，運動を20～30分間持続する。

□【 インターバルトレーニング 】…強い運動(急走期)と不完全休息(緩走期)を繰り返す。

●筋力を高めるトレーニング

□【 レジスタンストレーニング 】…筋肉に負荷(抵抗)を与えて，筋を太くする。ダンベルを使ったウエイトトレーニングなど。

⏱□【 アイソメトリックトレーニング 】…筋の長さを変えないで筋力を発揮する。壁を押すなど。**静的トレーニング**ともいう。

⏱□【 アイソトニックトレーニング 】…筋の長さを変えて筋力を発揮する。重量物を持ち上げるなど。**動的トレーニング**ともいう。

□【 アイソキネティックトレーニング 】…運動速度を一定に保って筋肉を収縮させる。

□筋力トレーニング種目には，複合関節種目(スクワット，ベンチプレスなど)と，単関節種目(アームカールなど)がある。

●速さを高めるトレーニング

⏱□【 SAQトレーニング 】…速さの質を高める。Sはスピード，Aはアジリティ(敏捷性)，Qはクイックネス(素早さ)を意味する。

●敏捷性を高めるトレーニング

□【 レペティショントレーニング 】…全力運動(最大負荷)と完全休息を繰り返す。

●体力を全面的に高めるトレーニング

□【 サーキットトレーニング 】…休息をとらないで，6～12種類の運動を循環(サーキット)して行う。

体育

トレーニング

ここが出る! ▶▶

・運動技能にはさまざまなものがある。各種目において求められる運動技能がどのようなものかを押さえよう。

・運動技能の上達過程を表す練習曲線の図はよく出る。プラトー，スランプ，レミニッセンスといった専門用語の意味を押さえよう。

1 運動技能とは

まずは広義の概念を押さえ，その後で細かい要素へと入っていこう。

● 概念

□【 運動技能 】…速く走る，正確なボールさばきなどの課題に合うように運動を調節し，実行することのできる能力

● 発揮される状況による分類

⏱□【 オープン・スキル 】…相手や味方，ボールの動きなど，刻々と変化する状況に合わせた動きをする技能。球技や武道で求められる。

⏱□【 クローズド・スキル 】…所定の動きを確実に実行する技能。器械運動，水泳，陸上競技などで求められる。

● 人と人との関係による分類

	概念	対応する種目の例
□個人的技能	一人だけで発揮される技能	器械運動，水泳，陸上
□対人的技能	相手との関わりで発揮される技能	柔道，剣道，テニス，卓球，バドミントン
□集団的技能	味方や相手との関わりで発揮される技能	サッカー，ラグビー，バスケットボール

2 運動技能の上達と練習法

運動技能の上達は，練習量と直線的に比例するわけではない。

● 上達の過程

おおむね，以下の3段階を経るといわれている。

□【 試行錯誤 】…運動の仕方が分かっていてもうまくできない。

□【 意図的な調節 】…個々の動きを意識すれば，うまくできる。

□【 自動化 】…意識しなくても運動できる。

●練習曲線

□図のように，運動技能は，練習を重ねるにつれ上昇していく。

⏱□【 プラトー 】…進歩が一時的に停滞すること。

⏱□【 スランプ 】…技能が向上した段階で，一時的にそれが下がる現象。

⏱□【 レミニッセンス 】…技能の上達が止まっているとき，別の技能の練習や休息を挟むと，当該の技能が急に上達すること。

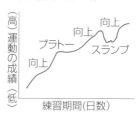

●運動技能の練習法

□【 全習法 】…技能全体を練習すること。

□【 分習法 】…技能の一部を取り出して練習すること。

□【 集中法 】…休憩を入れないで集中的に練習すること。

□【 分散法 】…ハイレベルの技能の学習や全力の運動を，休憩を取りながら行うこと。

□【 イメージ・トレーニング 】…運動の過程で生じる動作や感覚をイメージして行う練習。

3 運動処方

運動は，ただやみくもに行えばいいというものではない。

●運動処方

□【 運動処方 】…自身の健康状態や体力等を把握した上で，自身に適した運動の強度，時間，頻度を決めること。

□目標・実施方法の修正には，フィードバックを参考にする。それには，自分の感覚などから得られる内在的フィードバックと，自分以外から得られる外在的フィードバックがある。

●運動の前後の予備運動

	概念	実施方法の例
□ウォーミングアップ	主運動の前の軽い運動。体の各部位を運動に慣れさせる。競技力向上，ケガの防止に寄与。	ウォーキング，ジョギング，ランニング，ストレッチ
□クーリングダウン	主運動の後の軽い運動。体内の代謝物質(乳酸など)を除去し，疲労回復を早める。	ジョギング，ストレッチ，マッサージ

全国体力・運動能力, 運動習慣等調査 頻出度 **B**

ここが出る！ ▶▶

- 毎年実施される全国体力・運動能力, 運動習慣等調査(全国体力テスト)。調査の概要事項を押さえよう。実技の8種目を覚えること。
- 調査結果の文章の正誤判定問題がよく出る。最新の調査結果のエッセンスを知っておこう。男女の違いにも要注意だ。

1　調査の概要

　小学校5年生と中学校2年生を対象に, 8種目の測定がなされる。

● 対象

□小学校調査と中学校調査に分かれる。対象は以下のとおり。

小学校	小学校第5学年, 特別支援学校小学部第5学年, **義務教育学校前期課程第5学年**
中学校	中学校第2学年, 中等教育学校第2学年, 特別支援学校中学部第2学年, 義務教育学校後期課程第2学年

● 調査事項

□実技に関する調査は, 8種目からなる。測定方法は新体力テストと同様である。テーマ52を参照。

小学校	握力, 上体起こし, 長座体前屈, 反復横とび, 20mシャトルラン, 50m走, 立ち幅とび, ソフトボール投げ
中学校	握力, 上体起こし, 長座体前屈, 反復横とび, 持久走(男子1500m, 女子1000m), 20mシャトルラン, 50m走, 立ち幅とび, ハンドボール投げ

□中学校では, 持久走か20mシャトルランのどちらかを選択。

2　2023年度調査の結果

　体力はやや回復傾向だが, コロナ禍前の水準には戻っていない。男子と女子の差もある。

● 体力の状況

□体力合計点については, 2022年度との比較では回復傾向がみられるが, 2019年度(コロナ前の調査)の水準には至っていない。

□2022年度と比較すると，小・中学校ともに回復の度合いに**男女間で差**
がある。

⏱ □中学生の結果を2022年度調査と比べると…

ア）「**長座体前屈**」，「**50m走**」は向上。

イ）「**握力**」，「ハンドボール投げ」は，ほぼ横ばいもしくはやや低下。

ウ）「上体起こし」，「反復横とび」，「20mシャトルラン」，「立ち幅と
び」，「持久走」については，**男子は向上**，**女子**はほぼ横ばいもしく
はやや低下。

エ）体力合計点については，男子は0.3ポイントの**増加**，女子は0.2ポ
イントの**減少**。

●運動習慣

□1週間の総運動時間が420分以上の割合は，小・中学校男女ともに，
2022年度よりも**低下**した。

●体格と生活習慣

□肥満の割合は，小・中学校男女ともに**低下**した。

□朝食を「毎日食べる」割合は，小・中学校男女ともに**低下**した。

□睡眠時間が「8時間以上」の割合は，小・中学校男女ともに**増加**した。

⏱ □学習以外のスクリーンタイム❶が「4時間以上」の割合は，小・中学校
男女ともに**増加**した。

●運動やスポーツに対する意識

⏱ □「運動が好き」と答えた児童生徒は2022年度との比較で男子は**増加**し，
女子は**低下**している。

□「体育が楽しい」と答えた児童生徒は，小学校では**男子は過去最高**，**女**
子は2022年度より**低下**，中学校では男女とも2022年度より**低下**した。

●学校における体力向上の取組

□体育の授業以外で体力向上の取組を全ての児童生徒に対して実施した
学校の割合は，小学校では**増加**したものの，中学校については**減少**し
ている。

●幼児の運動促進のための取組

□幼児の運動促進のための取組をしている（予定を含む）自治体の割合
は，都道府県，政令指定都市で**増加**し，市区町村は**横ばい**であった。

⋯⋯⋯⋯⋯⋯⋯⋯⋯⋯⋯⋯⋯⋯⋯⋯⋯⋯⋯⋯⋯⋯⋯⋯⋯⋯⋯⋯⋯⋯⋯⋯⋯⋯⋯

❶平日1日当たりのテレビ，スマートフォン，ゲーム等による映像の視聴時間。

テーマ 57 ● 体育（体育理論）

スポーツの振興施策 頻出度 A

ここが出る！ ▶▶

- スポーツ基本法の条文の空欄補充問題は頻出。スポーツの意義や効果に関する条文を重点的にみておこう。
- 第3期スポーツ基本計画の骨格を押さえよう。成人のスポーツ実施率を何%程度まで高めるとされるか。

1 スポーツ基本法

●前文

⏱ □スポーツは，世界共通の人類の**文化**である。

⏱ □スポーツは，心身の健全な発達，健康及び体力の保持増進，精神的な充足感の獲得，自律心その他の精神の涵養等のために個人又は集団で行われる運動競技その他の身体活動。

□スポーツは，次代を担う青少年の**体力**を向上させるとともに，他者を尊重しこれと協同する精神，公正さと規律を尊ぶ態度や克己心を培い，実践的な思考力や判断力を育む等人格の形成に大きな影響を及ぼす。

□スポーツは，人と人との**交流**及び地域と地域との交流を促進し，地域の一体感や活力を醸成するものであり，人間関係の希薄化等の問題を抱える地域社会の再生に寄与する。

●基本理念（第2条）

⏱ □スポーツは，とりわけ心身の成長の過程にある青少年のスポーツが，**体力**を向上させ，公正さと規律を尊ぶ態度や克己心を培う等人格の形成に大きな影響を及ぼすものであり，国民の**生涯**にわたる健全な心と身体を培い，豊かな**人間性**を育む基礎となるものであるとの認識の下に，学校，**スポーツ団体**，家庭及び地域における活動の相互の連携を図りながら推進されなければならない。

2 スポーツ基本計画

2022年3月に，**第3期スポーツ基本計画**が策定されている。

● 3つの視点

⏱ □スポーツを「つくる / はぐくむ」

　　・社会の変化や状況に応じて，既存の仕組みにとらわれずに柔軟に見

直し，最適な手法・ルールを考えて作り出す。

⏱ □スポーツで「あつまり，ともに，**つながる**」

・様々な立場・背景・特性を有した人・組織があつまり，ともに課題に対応し，**つながり**を感じてスポーツを行う。

⏱ □スポーツに「誰もが**アクセス**できる」

・性別や年齢，障害，経済・地域事情等の違い等によって，スポーツの取組に差が生じない社会を実現し，機運を醸成。

● **数値目標**

□成人の週１回以上のスポーツ実施率を70%（障害者は40%）。

□１年に一度以上スポーツを実施する成人の割合を100%に近づける（障害者は70%を目指す）。

3 日本のスポーツ施策

健康増進のため，スポーツ施策が充実してきている。

● **施策の流れ**

□1961年に**スポーツ振興法**制定，2000年に**スポーツ振興基本計画**策定。

⏱ □2011年に，スポーツ振興法を改正し**スポーツ基本法**を制定。

□2012年，スポーツ基本法に即して**スポーツ基本計画**を策定。

□2015年，スポーツ施策を推進する**スポーツ庁**を設置。

● **全ての人がスポーツに親しむために**

⏱ □【 **総合型地域スポーツクラブ** 】…子供から高齢者まで（**多世代**），様々なスポーツを愛好する人々が（**多種目**），初心者からトップレベルまで，それぞれの志向・レベルに合わせて参加できる（**多志向**），という特徴を持つ。

□【 **ユニバーサルデザイン** 】…障害の有無や年齢，性別，国籍にかかわらず，多様な人々が利用しやすいよう，建物や製品を設計すること。

● **運動・スポーツの実施率**

「スポーツの実施状況等に関する世論調査」（2023年度）による。

□20歳以上の週１日以上の運動・スポーツ実施率は，**52.0%**（前年度から0.3ポイント減）。

□男女別では，男性が54.7%（前年度から0.3ポイント増），女性が49.4%（0.8ポイント減）で，引き続き男性より女性の実施率が**低い**。

□年代別では，20代〜50代の**働く世代**で引き続き低い。

● 体育（体育理論）
オリンピック

頻出度
A

ここが出る！ ▶▶

- 2021年に東京オリンピックが開催された。オリンピックの基礎知識が頻出。歴史やオリンピズムについて知っておきたい。
- スポーツが経済利益と結びつくようになり，ドーピングも問題化している。ドーピング撲滅の取組を知ろう。

1 オリンピック

● 重要知識

□【 **クーベルタン** 】…近代オリンピックの創始者。

□【 **オリンピズム** 】…スポーツによる青少年の健全育成，世界平和の実現という理念。

□【 **オリンピックムーブメント** 】…オリンピズム実現のため，国際オリンピック委員会（IOC）が中心となって行う活動。

□オリンピックの中心的な価値は，卓越，友情，敬意の3つである。

□オリンピック・シンボルは，世界5大陸の友情と協力を意味する。色は左から順に「青・黄・黒・緑・赤」となっている。

□【 **嘉納治五郎** 】…アジアで最初のIOC委員。

● 大会

□オリンピックは4年おきの開催。東京でも過去に開かれている。2021年の東京大会は，第32回の夏季オリンピック。

東京（1964年）	ロサンゼルス（84年）	アテネ（04年）
メキシコシティー（68年）	ソウル（88年）	北京（08年）
ミュンヘン（72年）	バルセロナ（92年）	ロンドン（12年）
モントリオール（76年）	アトランタ（96年）	リオデジャネイロ（16年）
モスクワ（80年）	シドニー（2000年）	東京（21年）

□2021年の東京大会，2024年のパリ大会での追加（継続）競技は以下。

東京大会	野球・ソフトボール，空手（沖縄発祥），スケートボード，スポーツクライミング，サーフィン
パリ大会	ブレークダンス，スケートボード，スポーツクライミング，サーフィン

● 歴史

□国際オリンピック委員会（IOC）が設立されたのは1894年6月23日であ

る。この日は**オリンピックデー**とされている。

⏱□近代の最初のオリンピック競技大会（オリンピアード競技大会）は
1896年，ギリシャのアテネで開催された。

□第1回オリンピック冬季競技大会は，1924年，フランスのシャモニー
で開催された。アジアでは，1972年に札幌で初めて開催。

2 パラリンピック

●**基礎知識**

□パラリンピックは，夏季大会(22競技)と冬季大会(6 競技)があり，オ
リンピックの開催年に，原則として**同じ**都市・会場で行われる。

□パラリンピックの原点は，ルードウィッヒ・グットマンの提唱で，ロ
ンドンの病院で開かれた**アーチェリー**大会である。

⏱□パラリンピックの 4 つの価値とは，①**勇気**，②**強い意志**，③**インスピ**
レーション，④**公平**，である。

□パラリンピックマークは，赤・青・緑の 3 色からなる(**スリーアギト**
ス)。赤は心，青は体，緑は魂を表す。

□第1回パラリンピックは，1960年に**ローマ**で開催された。

●**障害者の国際競技大会**

□【　**デフリンピック**　】… 4 年に 1 回開催される，聴覚障害者の世界規
模の総合スポーツ競技会。コミュニケーションを国際手話で行う。

□【　**スペシャルオリンピックス**　】… 4 年に 1 回開催される，知的障害
者の世界規模の総合スポーツ競技会。参加者全員が表彰される。

3 ドーピング

□1968年のメキシコオリンピックからドーピングコントロールを実施。

⏱□禁止物質または禁止方法は，「**競技力向上に効果がある**」「健康上**危険**
である」「**スポーツの精神に反する**」という 3 つのうち 2 つ以上が当て
はまる場合に指定される。「ドーピング防止規則違反」に該当する**11項**
目のうち， 1 つ以上みられた際には，ドーピングとみなされる。

□【　**WADA**　】…世界アンチ・ドーピング機構。1999年に設立。

□【　**JADA**　】…日本アンチ・ドーピング機構。2001年に設立。

□スポーツは多くの人の注目を集め，大規模な**経済市場**となる。

□【　**商品ライセンシング**　】…選手の肖像や氏名を使った商品開発。

ここが出る!

・部活指導は，教員の過重労働の大きな原因となっている。今後
は，部活動は地域に段階的に移行されることになっている。

・地域人材の確保の仕方，大会運営の見直し等，部活動の地域移行
を実現させるための方策の中身を知ろう。

2022年12月，スポーツ庁と文化庁は「**学校部活動及び新たな地域クラ
ブ活動の在り方等に関する総合的なガイドライン**」を策定した。

1 学校部活動

勝利至上主義の「しごき」は改め，節度のある活動にする。長時間の練
習が技能の向上につながるとは限らない。

●適切な指導の実施

□校長，部活動顧問，部活動指導員及び外部指導者は，学校部活動の実
施に当たっては，生徒の心身の健康管理，事故防止を徹底し，体罰・
ハラスメントを根絶する。

□運動部活動の部活動顧問，部活動指導員及び外部指導者は，スポーツ
医・科学の見地からは，トレーニング効果を得るために休養等を適切
に取ることが必要であること，また，過度の練習が**スポーツ障害・外
傷**のリスクを高め，必ずしも**体力・運動能力の向上につながらないこ
と**等を正しく理解し，分野の特性等を踏まえた効率的・効果的なトレ
ーニングの積極的な導入等により，**休養等を適切に取りつつ，短時間
で効果が得られる指導**を行う。

□部活動顧問，部活動指導員及び外部指導者は，生徒の運動・文化芸術
等の能力向上や，生涯を通じてスポーツ・文化芸術等に親しむ基礎を
培うとともに，生徒が**バーンアウト**することなく，技能の向上や大会
等での好成績等それぞれの目標を達成できるよう，生徒と**コミュニケ
ーション**を十分に図った上で指導を行う。

□その際，専門的知見を有する保健体育担当の教師や**養護教諭**等と連
携・協力し，発達の個人差や**女子の成長期**における体と心の状態等に
関する正しい知識を得た上で指導を行う。

● 適切な休養日等の設定

□学期中は，週当たり2日以上の休養日を設ける。平日は少なくとも1日，週末は少なくとも1日以上を休養日とする。

□1日の活動時間は，長くとも平日では2時間程度，学校の休業日は3時間程度とし，できるだけ短時間に，**合理的**でかつ効率的・効果的な活動を行う。

2 新たな地域クラブ活動

今後，部活動は段階的に地域に移行される。

□公立中学校において，学校部活動の維持が困難となる前に，学校と地域との連携・協働により，生徒のスポーツ・**文化芸術活動**の場として，新たに**地域クラブ活動**を整備する必要がある。

□都道府県及び市区町村は，生徒にとってふさわしい**地域スポーツ環境**を整備するため，各地域において，専門性や資質・能力を有する指導者を確保する。

□休日における学校部活動の地域連携や地域クラブ活動への移行について，国としては，2023年度から2025年度までの3年間を**改革推進期間**と位置付けて支援する。

3 大会等の在り方の見直し

□中学校等の生徒を対象とする大会等の主催者は，生徒の**参加機会の確保**の観点から，大会参加資格を学校単位に限定することなく，地域の実情に応じ，**地域クラブ活動や複数校合同チーム**の会員等も参加できるよう，全国大会，都道府県大会，地区大会及び市区町村大会において見直しを行う。

□大会等の主催者は，学校部活動における大会等の引率は原則として部活動指導員が単独で担うことや，外部指導者や地域のボランティア等の協力を得るなどして，生徒の**安全確保**等に留意しつつ，できるだけ**教師が引率しない**体制を整える旨を，大会等の規定として整備し，運用する。

□大会等の主催者は，全国大会の開催回数について，生徒や保護者等の心身の負担が過重にならないようにするとともに，学校生活との適切な両立を前提として，種目・部門・分野ごとに適正な回数に精選する。

ここが出る! ▶▶

・これまでみてきたように，体育分野の内容は多岐にわたるが，これらのすべてを生徒に履修させるのではない。それぞれの領域・項目が必修か，あるいは選択かを押さえよう。

・集団行動の指導は，A～Gの全領域で行うことに要注意。

1 体育分野の内容の取扱い（第1・2学年）

まずは，第1・2学年である。B～Gは，項目を選択することとされている。

領域及び領域の内容	1年	2年	内容の取扱い
【A体つくり運動】 ア　体ほぐしの運動 イ　体の動きを高める運動	必修	必修	ア，イ必修 （各学年7単位時間以上）
【B器械運動】 ア　マット運動 イ　鉄棒運動 ウ　平均台運動 エ　跳び箱運動	必修		2年間でアを含む②選択
【C陸上競技】 ア　短距離走・リレー，長距離走又はハードル走 イ　走り幅跳び又は走り高跳び	必修		2年間でア及びイのそれぞれから選択
【D水泳】 ア　クロール イ　平泳ぎ ウ　背泳ぎ エ　バタフライ	必修		2年間でア又はイを含む②選択
【E球技】 ア　ゴール型 イ　ネット型 ウ　ベースボール型	必修		2年間でア～ウのすべてを選択
【F武道】 ア　柔道 イ　剣道 ウ　相撲	必修		2年間でア～ウから①選択
【Gダンス】 ア　創作ダンス イ　フォークダンス ウ　現代的なリズムのダンス	必修		2年間でア～ウから選択
【H体育理論】 (1)　運動やスポーツの多様性 (2)　運動やスポーツの意義や効果と学び方や安全な行い方	必修	必修	(1)　第1学年必修 (2)　第2学年必修 （各学年3単位時間以上）

2 体育分野の内容の取扱い（第3学年）

次に第3学年である。第3学年の場合，B～Gの全領域が必修という

わけではない。

領域及び領域の内容	3年	内容の取扱い
【A体つくり運動】 ア　体ほぐしの運動 イ　実生活に生かす運動の計画	必修	ア，イ必修 （7単位時間以上）
【B器械運動】 ア　マット運動 イ　鉄棒運動 ウ　平均台運動 エ　跳び箱運動	B，C，D， Gから①以上 選択	ア〜エから選択
【C陸上競技】 ア　短距離走・リレー，長距離走又はハードル走 イ　走り幅跳び又は走り高跳び		ア及びイのそれぞれから選択
【D水泳】 ア　クロール イ　平泳ぎ ウ　背泳ぎ エ　バタフライ オ　複数の泳法で泳ぐ又はリレー		ア〜オから選択
【E球技】 ア　ゴール型 イ　ネット型 ウ　ベースボール型	E，Fから① 以上選択	ア〜ウから②選択
【F武道】 ア　柔道 イ　剣道 ウ　相撲		ア〜ウから①選択
【Gダンス】 ア　創作ダンス イ　フォークダンス ウ　現代的なリズムのダンス	B，C，D， Gから①以上 選択	ア〜ウから選択
【H体育理論】 (1)　文化としてのスポーツの意義	必修	(1)　第3学年必修 （3単位時間以上）

3　その他の留意事項

　そのほか，内容の取扱いに際しては，以下の事項に留意する。

□内容の「A体つくり運動」から「Gダンス」までの領域及び運動の選択並びにその指導に当たっては，地域や学校の実態及び生徒の特性等を考慮するものとする。

□指導に当たっては，内容の「B器械運動」から「Gダンス」までの領域については，それぞれの運動の特性に触れるために必要な体力を生徒自ら高めるように留意するものとする。

□集合，整頓，列の増減，方向変換などの行動の仕方を身に付け，能率的で安全な集団としての行動ができるようにするための指導については，内容の「A体つくり運動」から「Gダンス」までの領域において適切に行うものとする。

ここが出る！ ▶▶

- 高等学校の体育では，中学校段階にも増して，選択履修のシェアが大きくなっている。その方式に関する正誤判定問題がよく出る。
- 高等学校では，内容の取扱いに際しての留意事項も数多い。武道では「審判の仕方」も指導するなど，細かい事項まで押さえよう。

1 体育の領域及び内容の取扱い（A〜G）

まずは，A〜Gの各運動領域についてである。領域の選択の仕方がどのようなものかに注意のこと。

領域及び領域の内容	入学年次	その次の年次以降	内容の取扱い
【A体つくり運動】 ア　体ほぐしの運動 イ　実生活に生かす運動の計画	必修	必修	ア，イ必修 （各年次7〜10単位時間程度）
【B器械運動】 ア　マット運動 イ　鉄棒運動 ウ　平均台運動 エ　跳び箱運動	B，C，D，Gから①以上選択	B，C，D，E，F，Gから②以上選択	ア〜エから選択
【C陸上競技】 ア　短距離走・リレー・長距離走・ハードル走 イ　走り幅跳び・走り高跳び・三段跳び ウ　砲丸投げ・やり投げ			ア〜ウに示す運動から選択
【D水泳】 ア　クロール イ　平泳ぎ ウ　背泳ぎ エ　バタフライ オ　複数の泳法で泳ぐ又はリレー			ア〜オから選択
【E球技】 ア　ゴール型 イ　ネット型 ウ　ベースボール型	E，Fから①以上選択		入学年次ではア〜ウから②選択 その次の年次以降では，ア〜ウから選択
【F武道】 ア　柔道 イ　剣道			ア又はイのいずれか選択
【Gダンス】 ア　創作ダンス イ　フォークダンス ウ　現代的なリズムのダンス	B，C，D，Gから①以上選択		ア〜ウから選択

2 体育の領域及び内容の取扱い（H）

Hの体育理論は，全学年において必修である。3つの内容を履習させる学年にも注意のこと。

領域及び領域の内容	入学年次	その次の年次以降	内容の取扱い
【H体育理論】 (1) スポーツの文化的特性や現代の スポーツの発展 (2) 運動やスポーツの効果的な学習 の仕方 (3) 豊かなスポーツライフの設計の 仕方	必修	必修	(1)は入学年次，(2) はその次の年次，(3) はそれ以降の年次 (各年次6単位時間 以上)

3 その他の留意事項

そのほか，内容の取扱いに際しては，以下の事項に留意する。特に，「F武道」に関する事項が重要である。

□内容の「B器械運動」から「Gダンス」までの領域及び運動については，学校や地域の実態及び生徒の特性や選択履修の状況等を踏まえるとともに，安全を十分に確保した上で，生徒が自由に選択して履修することができるよう配慮するものとする。

□指導に当たっては，内容の「B器械運動」から「Gダンス」までの領域については，それぞれの運動の特性に触れるために必要な体力を生徒自ら高めるように留意するものとする。

□内容の「B器械運動」から「F武道」までの領域及び運動については，必要に応じて審判の仕方についても指導するものとする。

□「F武道」については，我が国固有の伝統と文化により一層触れさせるため，中学校の学習の基礎の上に，より深められる機会を確保するよう配慮するものとする。

□自然とのかかわりの深いスキー，スケートや水辺活動などの指導については，学校や地域の実態に応じて積極的に行うことに留意するものとする。また，レスリングについても履修させることができるものとする。

□集合，整頓，列の増減，方向変換などの行動の仕方を身に付け，能率的で安全な集団としての行動ができるようにするための指導については，内容の「A体つくり運動」から「Gダンス」までの領域において適切に行うものとする。

□筋道を立てて練習や作戦について話し合う活動などを通して，コミュニケーション能力や論理的な思考力の育成を促し，主体的な学習活動が充実するよう配慮するものとする。

●**Answer**●

□1　高等学校の体育の目標の中に，「生涯にわたって運動を豊かに実践することができるようにする」とある。　→P.20

□2　中学校第1・2学年の体育理論の内容項目の一つに，「文化としてのスポーツの意義」がある。　→P.21

□3　中学校第3学年の「体つくり運動」では，実生活に生かす運動の計画を取り扱う。　→P.26

□4　器械運動のマット運動の技は，回転系と巧技系とに大別される。　→P.32

□5　マット運動の回転系の技である「ロンダート」は，前方倒立回転跳び1／4ひねりのことである。　→P.33

□6　器械運動の鉄棒運動の技である「け上がり」は，支持系の後方支持回転技群に属するものである。　→P.35

□7　器械運動の鉄棒運動の技である「後ろ振り跳び下がり」は，懸垂系の懸垂技群に属するものである　→P.35

□8　器械運動の平均台運動のバランス系の技である「片足ターン」は，両足ターンの発展技である。　→P.37

□9　跳び箱運動の「開脚跳び」は，回転系に属するものである。　→P.39

□10　跳び箱運動の空中局面は，第1と第2に分かれる。　→P.39

□11　跳び箱運動の回転系の発展技の一つに，「前方倒立回転跳び」というものがある。　→P.39

□12　高等学校の短距離走の走る距離の目安は，100～400mである。　→P.44

1　×
中学校第3学年の体育の目標である。

2　×
第3学年の内容項目である。

3　○

4　○

5　×
側方倒立回転跳び1／4ひねりのことである。

6　×
前方支持回転技群に属する。

7　○

8　○

9　×
切り返し系に属する。

10　○

11　○

12　×
100～200mである。

□13 200m までの距離のスタートは，クラウチングスタートで行う。　→P.44

□14 クラウチングスタートのうち，前足と後足のスペースが狭いものを，バンチスタートという。　→P.45

□15 ハードル走では，足がハードルをはみ出て，バーより低い位置を通ると失格となる。　→P.49

□16 走り高跳びでは，3回続けて失敗すると失格となる。　→P.53

□17 走り幅跳びの記録の計測では，踏切線から足跡までの距離を垂直に測る。　→P.55

□18 高校生が用いる砲丸の重さは，男子の場合は4kgである。　→P.57

□19 クロールの距離の目安は，中学校1・2年生の場合は25～50m とされる。　→P.64

□20 平泳ぎのターンとゴールのタッチは，片手だけでもよい。　→P.67

□21 背泳ぎでは，スタートやターンの後，壁から20m 以内に頭を水面上に出す。　→P.69

□22 水泳プールの水質の基準の一つとして，「ph 値が5.8以上8.6以下であること」というものがある。　→P.74

□23 水泳でのバディシステムは，3人1組の組をつくらせ，互いに安全を確かめさせる方法である。　→P.74

□24 水泳の個人メドレーは，「バタフライ→背泳ぎ→平泳ぎ→自由形」という順序で実施する。　→P.77

13　×
200m ではなく，400m である。

14　○

15　○

16　○

17　×
足跡ではなく，着地跡である。着地跡が足跡とは限らない。

18　×
6kgである。

19　○

20　×
両手で同時にタッチ。

21　×
20m 以内ではなく，15m以内である。

22　○

23　×
2人1組である。

24　○

□25 バスケットボールで，片足を軸にして体の向きを回転させる動作をフェイクという。 →P.88

□26 バスケットボールでは，ボールを持った攻撃側は，24秒以内にボールをフロントコートに運ばなければならない。 →P.89

□27 ハンドボールのシュートチャンスで反則があった場合，8mスローが与えられる。 →P.91

□28 サッカーにおいて，競技者が自チームのペナルティーエリア内でプッシングの反則を犯した場合，相手チームに直接フリーキックが与えられる。 →P.93

□29 ラグビーのキックで，地面に落ちてバウンドしたボールをキックすることをドロップキックという。 →P.94

□30 バレーボールのラリーポイント制では，21点先取した側がセットの勝者となる。 →P.97

□31 卓球のサービスでは，ボールを垂直に16cm以上投げ上げ，落ちてくるところを打つ。 →P.99

□32 テニスのラケットの握り方のうち，ラケット面と地面が平行になるように上から握るやり方をイースタングリップという。 →P.100

□33 ソフトボールのタイブレークは，8回以降，各チームの攻撃を無死3塁から始められるというルールである。 →P.105

□34 国際サッカー連盟（略称FIFA）が設立されたのは，1904年である。 →P.108

□35 ソフトボールをわが国に紹介したのは，大谷武一である。 →P.109

25 ×
フェイクではなく，ピボットである。

26 ×
24秒以内ではなく，8秒以内である。

27 ×
8mスローではなく，7mスローである。

28 ×
直接フリーキックではなく，ペナルティーキック（PK）である。

29 ○

30 ×
25点先取した側が勝者となる。

31 ○

32 ×
イースタングリップではなく，ウエスタングリップである。

33 ×
無死3塁ではなく，無死2塁である。

34 ○

35 ○

□36 高等学校の武道では，柔道または剣道のいずれかを選択して履修することができるようにする。 →P.113

36 ○

□37 高等学校において，柔道と剣道以外の武道を履修させる際は，原則としてこれらに替えて履修させる。 →P.113

37 ×
「替えて」ではなく，「加えて」である。

□38 柔道の進退動作のうち，一方の足と他の足を継いで歩く動作のことを「継ぎ足」という。 →P.114

38 ○

□39 柔道の体落としは，技の分類でいうと，支え技系に属する。 →P.114

39 ×
まわし技系に属する。

□40 柔道において，「指導」の罰則を4回受けると反則負けとなる。 →P.117

40 ×
3回である。

□41 柔道では，試合時間内に決着がつかなかった場合，「技あり」があるほうが勝ちとなる。 →P.117

41 ○

□42 剣道の構えで，攻撃と防御の両方に適した構え方を「自然体」という。 →P.118

42 ×
「中段の構え」という。

□43 剣道の試合時間は，高等学校では4分とされることが多い。 →P.120

43 ○

□44 剣道において，打突後も油断せず，次の変化に即座に対応できる身構えをとることを「不動心」という。 →P.121

44 ×
不動心ではなく，残心という。

□45 中学校のダンスでは，創作ダンス，フォークダンス，現代的なリズムのダンスから選択して履修できるようにする。 →P.124

45 ○

□46 高等学校入学年次で扱う外国のフォークダンスの例として，学習指導要領解説では，オクラホマ・ミクサーが挙げられている。 →P.128

46 ×
オクラホマ・ミクサーは，中学校第1・2年のものとして例示されている。

□47 新体力テストにおいて，敏捷性を測る種目は「20m シャトルラン」である。 →P.138

47 ×
敏捷性を測るのは，「反復横とび」である。

□48 体力は，行動力と生存力とに大別される。 →P.141

48 ○

□49 随意筋のうちの赤筋は，瞬発性に優れているので，短距離走に適している。 →P.142

49 ×
赤筋ではなく，白筋である。

□50 全力運動と完全休息を繰り返すトレーニングのことを，インターバルトレーニングという。 →P.145

50 ×
レペティショントレーニングである。

□51 運動技能のうち，所定の動きを確実に実行する技能のことを，クローズド・スキルという。 →P.146

51 ○

□52 技能が向上した段階で，一時的にそれが下がる現象のことをレミニッセンスという。 →P.147

52 ×
レミニッセンスではなく，スランプである。

□53 スポーツ振興法の前文では，「スポーツは，世界共通の人類の文化である」と定められている。 →P.150

53 ×
スポーツ振興法ではなく，スポーツ基本法である。

□54 アジアで最初のIOC委員となったのは，嘉納治五郎である。 →P.152

54 ○

□55 パラリンピックの4つの価値は，勇気，強い意志，インスピレーション，公平，である。 →P.153

55 ○

□56 中学校第1・2学年では，「E球技」と「F武道」から1以上選択して履修させることとされている。 →P.157

56 ×
当該の規定は，中学校第3学年のものである。

□57 高等学校においては，レスリングについても履修させることができる。 →P.159

57 ○

保健

● 保健（科目の目標と内容）
保健の目標と内容（中学校）
頻出度 A

1 中学校の保健の目標と内容

知識，思考力・判断力・表現力，人間性に関わる3つである。

□個人生活における健康・**安全**について理解するとともに，基本的な技能を身に付けるようにする。

□健康についての自他の課題を発見し，よりよい解決に向けて思考し判断するとともに，他者に伝える力を養う。

□生涯を通じて心身の健康の保持増進を目指し，明るく豊かな生活を営む態度を養う。

2 中学校の保健の内容（細目）

4本の柱の下，細目が設けられている。専門用語も多い。

● 健康な生活と疾病の予防

□ア）健康の成り立ちと**疾病の発生要因**

健康の成り立ち／主体と環境の要因の関わりによって起こる疾病

□イ）**生活習慣と健康**

運動，食事，休養及び睡眠の調和のとれた生活の継続

□ウ）**生活習慣病**などの予防

生活習慣の乱れと生活習慣病とのつながり／がんの予防

□エ）喫煙，飲酒，薬物乱用と健康

心身への様々な影響／健康を損なう原因／個人の心理状態や**人間関係**，社会環境などの要因に対する適切な対処

□オ）**感染症の予防**

病原体が主な原因となって発生する感染症／発生源，感染経路，主体への対策による感染症の予防／**エイズ及び性感染症の予防**

□カ）健康を守る**社会**の取組

個人の健康と社会的な取組との関わり／健康の保持増進や疾病予防の
役割を担っている保健・医療機関とその利用／医薬品の正しい使用

● **心身の機能の発達と心の健康**

□ア) **身体機能の発達**
器官が発育し機能が発達する時期／発育・発達の個人差

⏱ □イ) **生殖に関わる機能の成熟**
内分泌の働きによる生殖に関わる機能の成熟／**成熟**の変化に伴う適切
な行動等

□ウ) **精神機能の発達と自己形成**
生活経験などの影響を受けて発達する精神機能／**自己の認識の深まり**
と自己形成

□エ) 欲求や**ストレスへの対処と心の健康**
精神と身体の相互影響／欲求やストレスの心身への影響と適切な対処
／**ストレスへの対処の方法**

● **傷害の防止**

□ア) **交通事故**や自然災害などによる傷害の発生要因
人的要因や**環境要因**などの関わりによる傷害の発生

□イ) 交通事故などによる傷害の防止
安全な行動，環境の改善による傷害の防止

□ウ) **自然災害による傷害の防止**
自然災害発生による傷害と**二次災害**による傷害／自然災害への備えと
傷害の防止

□エ) **応急手当の意義と実際**
応急手当による傷害の悪化防止／**心肺蘇生法**

● **健康と環境**

□ア) 身体の環境に対する**適応能力・至適範囲**
身体の**適応能力**を超えた環境の健康への影響／快適で能率のよい生活
ができる環境の範囲

□イ) **飲料水**や空気の衛生的管理
健康と飲料水や空気との密接な関わり／健康のための基準に適合した
飲料水や**空気**の管理

□ウ) 生活に伴う**廃棄物**の衛生的管理
生活によって生じた廃棄物の衛生的な**処理**の必要性

● 保健（科目の目標と内容）

保健の目標と内容（高等学校） 頻出度 **A**

ここが出る！ ▶▶

・内容項目をまとめた表の空欄補充問題が出る。
・①現代社会と健康（5項目），②安全な社会生活（2項目），③生涯を通じる健康（2項目），④健康を支える環境づくり（5項目），という大枠を押さえよう。

1 高等学校の保健の目標と内容

中学校のものとほぼ同じである。

● 目標

　保健の見方・考え方を働かせ，合理的，計画的な解決に向けた学習過程を通して，生涯を通じて人々が自らの健康や環境を適切に管理し，改善していくための資質・能力を次のとおり育成する。

⏱ □個人及び社会生活における**健康・安全**について理解を深めるとともに，技能を身に付けるようにする。

⏱ □健康についての自他や社会の課題を発見し，合理的，計画的な解決に向けて思考し判断するとともに，目的や状況に応じて他者に**伝える力**を養う。

⏱ □**生涯**を通じて自他の健康の保持増進やそれを支える環境づくりを目指し，明るく豊かで活力ある生活を営む態度を養う。

---

2 高等学校の保健の内容

内容の4本柱について，細目を列挙しよう。

● 現代社会と健康

□ア）健康の考え方：国民の健康課題や健康の考え方は，国民の健康水準の向上や疾病構造の変化に伴って変わってきていること。…

⏱ □イ）現代の感染症とその予防：感染症の発生や流行には，時代や地域によって違いがみられること。…

□ウ）生活習慣病などの予防と回復：健康の保持増進と生活習慣病などの予防と回復には，運動，食事，休養及び睡眠の調和のとれた生活の実践や疾病の早期発見，及び社会的な対策が必要であること。…

□エ）喫煙，飲酒，薬物乱用と健康：喫煙と飲酒は，生活習慣病などの要因になること。薬物乱用は，心身の健康や社会に深刻な影響を与えることから行ってはならないこと。…

□オ）精神疾患の予防と回復：精神疾患の予防と回復には，運動，食事，休養及び睡眠の調和のとれた生活を実践するとともに，心身の不調に気付くことが重要であること。…

● **安全な社会生活**

□ア）安全な社会づくり：安全な社会づくりには，環境の整備とそれに応じた個人の取組が必要であること。…

□イ）応急手当：適切な応急手当は，傷害や疾病の悪化を軽減できること。応急手当には，正しい手順や方法があること。心肺蘇生法などの応急手当を適切に行うこと。…

● **生涯を通じる健康**

□ア）生涯の各段階における健康：生涯を通じる健康の保持増進や回復には，生涯の各段階の健康課題に応じた自己の健康管理及び環境づくりが関わっていること。

□イ）労働と健康：労働災害の防止には，労働環境の変化に起因する傷害や職業病などを踏まえた適切な健康管理及び安全管理をする必要があること。

● **健康を支える環境づくり**

□ア）環境と健康：人間の生活や産業活動は，自然環境を汚染し健康に影響を及ぼすことがあること。…

□イ）食品と健康：食品の安全性を確保することは健康を保持増進する上で重要であること。…

□ウ）保健・医療制度及び地域の保健・医療機関：生涯を通じて健康を保持増進するには，保健・医療制度や地域の保健所，保健センター，医療機関などを適切に活用することが必要であること。医薬品は，有効性や安全性が審査されており，販売には制限があること。…

□エ）様々な保健活動や社会的対策：我が国や世界では，健康課題に対応して様々な保健活動や社会的対策などが行われていること。

□オ）健康に関する環境づくりと社会参加：自他の健康を保持増進するには，ヘルスプロモーションの考え方を生かした健康に関する環境づくりが重要であり，それに積極的に参加していくことが必要であること。…

健康と生活習慣病

頻出度 **A**

ここが出る！▶▶

- 平均余命と平均寿命の違い，最近出てきた健康寿命の概念などを説明できるようにしよう。死因の統計データも要注意。
- 生活習慣病の予防のためには，どれほどの運動を行うべきとされるか。たばこの副流煙の有害物質は，主流煙の何倍ほどか。

1 わが国の健康水準と病気の傾向

●健康水準の指標

□【 乳児死亡率 】…生後 1 年未満の死亡率。

□【 平均余命 】…ある年齢の者が，その後生存し得る平均年数。

□【 平均寿命 】… 0 歳の時点の平均余命。日本は男性が81.05歳，女性が87.09歳（2022年）で世界最高水準！

□【 健康寿命 】…健康に過ごせる期間。平均寿命から，事故や重病などによる寝たきりの期間を差し引いて算出される。2040年までに，健康寿命を男女とも75歳以上にすることを目指す。

□【 罹患率 】…ある期間内の患者数の対人口比。

●主な死因

□昔は，結核による死亡が最も多かった。最近では，**がん**（悪性新生物），心疾患，老衰，脳血管疾患，肺炎という順。

□3 大生活習慣病（がん，心疾患，脳血管疾患）が死因全体の約 5 割。

□がんの部位別にみると，男性は**肺がん**，女性は**大腸がん**による死亡が最も多い。

2 健康とは

●健康の定義

□健康とは，身体的，**精神的**，社会的に完全に**良好**な状態であり，単に病気あるいは虚弱でないことではない。（WHO憲章の前文）

□健康には，本人に関わる**主体要因**と，それを取り巻く**環境要因**が関係している。

●ヘルスプロモーション

1986年のWHO総会で採択された**オタワ**憲章による。

⏱□ヘルスプロモーションとは，人々が自らの健康をさらにうまくコントロールし，改善していけるようになるプロセスである。

□身体的，精神的，社会的に健全な状態に到達するには，個々人や集団が望みを明確にし，それを実現し，ニーズを満たし，環境を変え，それにうまく対処していくことができなければならない。

□よって，健康とは，毎日の生活のための資源と見なされるものであって，人生の目的ではない。健康とは，身体的能力だけでなく，社会的・個人的な面での資源という点を重視した積極的な考え方である。

● 国内の保健活動

⏱□【 健康日本21 】…「21世紀における国民健康づくり運動」のこと。現在は第二次を実施中で，2024年度より第三次を実施。

□【 健康増進法 】…同運動を推進するため，2002年に制定された。

□【 日本赤十字社 】…災害救護や医療にあたる民間の社会事業組織。

□【 保健所 】…疾病の予防など，住民の健康の保持増進のための業務を行う。都道府県や特別区，一部の市に設置されている。

● 国際的な保健活動

□WHO（世界保健機関），NGO（非政府組織），UNICEF（子どもの疾病予防），UNFPA（人口家族計画），UNAIDS（エイズ対策）など。

3 生活習慣病

● 病気の要因の分類

□【 遺伝要因 】…遺伝子異常，加齢など。

□【 外的環境要因 】…病原体，有害物質，事故など。

□【 生活習慣要因 】…食生活，運動，喫煙，飲酒，休養など。

● 生活習慣病

⏱□【 がん 】…悪性腫瘍の総称。他の臓器に侵入，転移する。

⏱□【 心臓病 】…心臓の疾患の総称。狭心症，心筋梗塞など。

⏱□【 脳卒中 】…脳の血液循環障害。脳内の血管がつまる脳梗塞など。

□【 脂質異常症 】…血液中の中性脂肪やコレステロールが異常に増えること。動脈硬化や心臓病につながる。

□【 糖尿病 】…血液中の糖の濃度が高くなる。失明などを招く。

□【 歯周病 】…歯の周りの組織の疾患。歯肉炎，歯周炎など。

□生活習慣病は，以前は成人病と呼ばれていたが，年齢の影響だけでな

く若年時からの生活習慣の影響も分かったので，名称が変わった。

● 病気の予防

□【 基礎代謝量 】…生命維持に必要な最小限のエネルギー量。

□生活習慣病の予防のため，18～64歳では，3メッツ以上の身体活動を週に23メッツ・時行うこととされる（厚生労働省基準）。エアロビックダンスなど，心肺機能を高める有酸素運動も効果的。

⏱□発病自体の防止を一次予防，発病の早期発見・早期治療を二次予防，社会復帰のためのリハビリテーションを三次予防という。

● メタボリックシンドローム

⏱□内臓脂肪型肥満に，高血糖，高血圧，脂質異常のいずれか2つ以上が合わさった状態を，メタボリックシンドロームという。

□メタボは，生活習慣病（糖尿病など）を併発しやすい。

□肥満の診断には，BMIを用いる。BMIは体重(kg)を身長(m)の2乗で割って算出する。

4 がん

● 総論

□がんとは，体の中で異常細胞が際限なく増えてしまう病気である。

□要因としては，たばこ，細菌・ウイルス，過度な飲酒，偏った食事，運動不足などの他，遺伝要因が関与するものもある。

⏱□がんは日本人の死因の第1位で，日本人の2人に1人は生涯のうちにがんにかかる。日本人の死因の25%はがんである。

● 種類と要因

肺がん	気管支や肺胞の細胞ががん化。
すい臓がん	肝炎ウイルス感染により，膵臓の細胞ががん化。
胃がん	ピロリ菌感染により，胃の内側の粘膜の細胞ががん化。
子宮頸がん	ヒトパピローマウイルス感染により，子宮の入り口にがんができる。

□【 転移 】…がん細胞が血管やリンパに入り込み，別の臓器や器官に移動して増殖すること。

● 対策

対策の3つの柱	予防，医療の充実，がんとの共生。
治療の3つの柱	手術療法，化学療法，放射線療法。

□がんは症状が出にくく，早期発見のため定期的に**がん検診**を受ける。
20歳を過ぎたら，症状がなくても子宮頸がんの検診受診が望ましい。

□治療の初期段階から，**緩和ケア**を適切に実施する（がん対策基本法）。

□緩和ケアとは，生命を脅かす疾患による問題に直面している患者とその家族に対して，痛みや**身体的**問題，心理社会的問題，**スピリチュア**ルな問題を早期に発見し，的確な対処を行い，苦しみを予防・緩和することで，**クオリティ・オブ・ライフ**を改善するためのアプローチである。（WHOの定義）

5　喫煙

近年，喫煙への風当たりが強くなっているが，それには理由がある。

● **たばこの有害物質**

⏱□【　**ニコチン**　】…血管を収縮させ，血圧を上げる。動脈硬化の原因となる。依存症を招き，喫煙の習慣化にもつながる。

⏱□【　**タール**　】…発がん性がある。のどや肺のがんをもたらす。

□【　**一酸化炭素**　】…血液中のヘモグロビンの酸素運搬能力を低下させる。体中の細胞が酸素不足の状態になる。

□【　**シアン化合物**　】…組織細胞への酸素の供給を妨げる。慢性気管支炎や肺気腫につながる。

● **受動喫煙**

□有害物質は，喫煙者自身が吸う主流煙のみならず，たばこの点火部から出る副流煙にも多く含まれる。

⏱□副流煙には，主流煙の約3倍のニコチン，約5倍の一酸化炭素が含まれる。

□【　**受動喫煙**　】…喫煙者の周囲の人間が，たばこの煙（副流煙）を吸わされ，健康を損なうこと。**健康増進法**で，防止の取組を規定。

● **対策**

□学校では**敷地内禁煙**とされているが，屋外で**受動喫煙**を防止するために必要な措置がとられた場所に，喫煙場所を設置することは可能。

⏱□5月31日は，WHOが定める世界禁煙デー。

□2003年のWHO総会にて，**たばこ規制枠組み条約**が採択された。

□たばこ包装の少なくとも30%，望ましくは50%を占める大きさで，有害警告を表示する。

ここが出る！ ▶▶

・人間の心身を大きく蝕む薬物乱用。薬物の名称と，症状に関する文章を結びつけさせる問題がよく出る。

・医薬品の種類と機能について知っておこう。近年では，ジェネリック医薬品も出回っている。

1 薬物乱用

薬物乱用とは，医療目的を逸した薬物の使用（乱用）のことをいう。

● 主な薬物

□【 **覚せい剤** 】…アンフェタミン，メタンフェタミンなど。依存性が強い。乱用を続けると，幻覚や妄想が生じる。隠語は**スピード**。

□【 **大麻** 】…マリファナなど。乱用を継続すると幻覚が生じ，無気力になる。また生殖能力にも障害をもたらす。隠語は**チョコ**。

□【 **コカイン** 】…依存性が強い。心拍数が上昇し，幻覚が現れる。

□【 **MDMA** 】…視覚，聴覚が変化する。大量に摂取すると体温が急上昇し，死に至る。隠語は**エクスタシー**。

□【 **有機溶剤** 】…シンナー，トルエンなど。大量に摂取すると呼吸困難が起こり，乱用を続けると幻覚が出る。隠語は**アンパン**。

□【 **向精神薬** 】…睡眠剤，抗不安剤など。酩酊感が得られるが，乱用すると，倦怠感が生じ，身体の運動機能も低下する。

□【 **LSD** 】…妄想や幻覚が起きる。脳内の神経伝達物質セロトニンの作用を抑制する。

□推定経験者数は，**大麻，有機溶剤，覚せい剤**の順に多い。（2020年度の日本学校保健会の指導参考資料）

● 薬物依存

□【 **精神依存** 】…薬物を摂取したいという強い欲求が続く。

□【 **身体依存** 】…乱用をやめると激しい苦痛が起きる（禁断症状）。

□「乱用の繰返し→耐性→薬がきれる→精神的・身体的苦痛→薬物探索行動→乱用の繰返し→…」という悪循環をたどる。

□【 **フラッシュバック** 】…乱用していた時と同じような幻覚や妄想が突如として現れること。

□【 ロールプレイング 】…誘いを断るため，相手に自分の気持ちを伝える役割を演じさせる指導方法。

● **法規制と対策**

⏱□**覚せい剤取締法**，**大麻取締法**，**麻薬及び向精神薬取締法**，**毒物及び劇物取締法**，**あへん法**，という法律がある。

□ここ数年，**大麻**による検挙者が増加している。

□「第5次薬物乱用防止5か年戦略」の目標の一つに，「青少年を中心とした広報・啓発を通じた国民全体の規範意識の向上による薬物乱用未然防止」がある。

□薬物乱用防止教室を，中学校・高校において年1回は開催する。

3 医薬品

● **医薬品の分類**

⏱□医薬品は，体に備わっている**自然治癒力**の働きを助ける。医薬品には，目的と合った**主作用**と，目的とは異なる**副作用**がある。

□医薬品は，①病の原因に作用する**原因療法薬**（抗生物質など），②病の症状を緩和する**対症療法薬**（解熱鎮痛薬など），③**予防薬**に大別される。

⏱□医師の処方がないと使用できない**医療用医薬品**と，薬局等で購入できる**一般用医薬品**という区分もある❶。

□一般用医薬品は，第1類・第2類・第3類に分かれ，リスクの高い第1類は，自由に手に取れない場所におかれる。

□【 要指導医薬品 】…医療用医薬品から一般用医薬品に移行して間もない医薬品で，インターネットでの購入はできないもの。

⏱□【 ジェネリック医薬品 】…先発医薬品の特許が切れた後，同じ成分・効き目で販売される後発医薬品。

● **医薬品の服用**

□医薬品の効き目は，医薬品の**血中濃度**によって変わる。効き目が適切になるように，使用回数，使用時間，**使用量**を守る。

□用法の指示の「**食間**」とは，食事の約2時間後をいう。

● **過去の薬害事件**

□①睡眠薬による**サリドマイド**事件，②下痢止めによる**スモン**事件，③血液製剤による**HIV感染**事件，の3つがよく知られている。

──────────

❶医師と薬剤師の役割分業を，医薬分業という。

保健

薬物乱用・医薬品

感染症

1 感染症

● 感染症の分類

□感染症法第6条は，感染症を5つに分類している。

一類	エボラ出血熱，ペストなど。
二類	結核，ジフテリア，重症急性呼吸器症候群（SARS）など。
三類	コレラ，腸管出血性大腸菌感染症など。
四類	E型肝炎，黄熱，鳥インフルエンザ，マラリアなど。
五類	インフルエンザ（鳥，新型除く），梅毒，麻しんなど。

□学校において予防すべき感染症の分類は，以下のようである。

一種	上記の一類と二類（結核除く）。治癒するまで出席停止。
二種	空気感染，飛沫感染するもので，流行する可能性が高いもの。
三種	学校教育活動を通じ，学校で流行する可能性が高いもの。

● 主な疾病の説明

□【 **重症急性呼吸器症候群** 】…SARSと略される。発熱，息切れ，呼吸困難などの症状が出る。2002年に中国で発生。

□【 **腸管出血性大腸菌** 】…腹痛や血便などの大腸炎をもたらす。O157などがよく知られている。

● 重要用語

□【 **薬剤耐性菌** 】…特定の抗生物質に対する耐性を備えた菌。メチシリン耐性黄色ブドウ球菌など。

□【 **再興感染症** 】…結核やマラリアなど，従来からある感染症で，最近患者数が増えだしたもの。

□【 **新興感染症** 】…エイズや腸管出血性大腸菌感染症など，新たに注目されだしたもの。航空機などの交通網の発達により，短期間で世界中に広がるようになっている。

□【 **院内感染** 】…病院内の感染源から，病院内で感染すること。

⏱□【 飛沫感染 】…くしゃみや咳で飛びだした病原体による感染。インフルエンザなどでみられる。

●**感染症の予防**

⏱□感染症の予防策は，①**感染源対策**（病原体の隔離・撲滅），②**感染経路対策**（経路遮断），③**感受性者**対策（抵抗力UP），からなる。

□感染症は，**病原体**が環境を通じて主体へ感染することで起こる疾病であり，適切な対策を講ずることにより感染のリスクを軽減できる。

□**予防接種**で，病原体を破壊したり抗体を作ったりする**免疫**をつける。

2 性感染症

●**エイズ**

⏱□エイズとは，正式には，**後天性免疫不全症候群**という。HIV（ヒト免疫不全ウイルス）の感染により，免疫機能が低下する。

□日本で初めてエイズ患者が確認されたのは1985年。

⏱□HIVの感染経路は，①**性行為**，②血液，③**母子感染**に限られる。①が圧倒的に多い。性交時は**コンドーム**をするなどの予防行動が必要。

□【 HIV抗体検査 】…血液中の抗体の有無を調べる。

⏱□12月1日は，世界エイズデー。HIV感染者やエイズ患者への支援活動として，レッドリボンがある。

●**主な性感症**

	男性の症状	女性の症状
□①淋菌感染症	尿道から膿が出る。排尿時に痛みを伴う。	自覚症状はあまりない。腹膜炎による腹痛。
□②性器クラミジア感染症	上記と同じであるが，症状は軽い。	上記とほぼ同じ
□③性器ヘルペスウイルス感染症	性器に水ぶくれが多くでき，それが破れて，びらんや潰瘍ができる。激しい痛みを伴う。	
□④梅毒❶	感染後3週頃に，性器や足の付け根にしこり。約3カ月後，全身に赤い斑点ができる。	
□⑤尖圭コンジローマ	性器やその周辺に，先の尖ったいぼができる。痛みはない。	

□潜伏期間は，①は2〜9日，②は1〜3週，③は2〜10日，④は3〜4週，⑤は3週〜8か月。

❶減少していた梅毒の報告数は，2011年頃から再び増加している。

● 保健（現代社会と健康）

精神の健康

ここが出る! ▶▶

・内分泌器官から分泌されるホルモンについてよく問われる。名称と働きを結びつけさせる問題が多い。

・心のありようは身体にも影響する。心身相関という概念を押さえよう。主な精神疾患についても知ろう。

1 内分泌系の働き

内分泌器官が分泌するホルモンは，体内で重要な働きをする。

● 概念

□【 内分泌系 】…ホルモンを分泌する腺や器官の集まり。

□【 内分泌器官 】…ホルモンを分泌する器官。

● 内分泌器官

□右図でいうと，①は視床下部，②は下垂体，③は上皮小体，④は甲状腺，⑤は副腎，⑥は膵臓，⑦は卵巣，⑧は精巣，である。

● 各器官が分泌するホルモンの作用

□①から⑧の器官が分泌するホルモンの名称と働きを覚えよう。

内分秘器官		ホルモン	主な作用
①視床下部		視床下部ホルモン	下垂体ホルモンの分泌を調節
②下垂体	前葉	成長ホルモン	成長や発育を促す
	後葉	抗利尿ホルモン	利尿をおさえる
③上皮小体		パラソルモン	カルシウムの代謝を促進
④甲状腺		サイロキシン	物質代謝の亢進
⑤副腎	皮質	糖質コルチコイド	ブドウ糖の新生を促進
	髄質	アドレナリン	交感神経の働きを促進，グリコーゲンの糖化を促進
⑥膵臓		インスリン	血糖値を下げる
⑦卵巣	卵胞	エストロゲン	子宮内膜を肥厚させる，排卵をおさえる
	黄体	プロゲステロン	
⑧精巣		テストステロン	精子の形成を助ける

2 心身相関と精神疾患

思春期・青年期には，心の不安がつきものだ。

● 心身相関

⏱️□【 心身相関 】…心の働きと体の働きが密接に関連していること。

　□大脳で生じた不安は，自律神経系や内分泌系を介して，全身の血管や臓器に伝わる。その結果，心拍数増加や血圧上昇などが生じる。

● 心身症

　□【 心身症 】…心の原因により，身体に各種の症状が出ること。代表的なものとして，十二指腸潰瘍や胃潰瘍がある。皮膚系でいうと，円形脱毛症やじんましんなど。

　□気分障害では，気分，認知，意欲の3領域に症状が出る。

⏱️□【 PTSD 】…大事故や災害への遭遇による心的外傷。

● 精神疾患

　以下は，『高等学校学習指導要領解説』の記述である。

　□精神疾患は，精神機能の基盤となる心理的，生物的，または社会的な機能の障害などが原因となり，認知，情動，行動などの不調により，精神活動が不全になった状態である。

　□うつ病，統合失調症，不安症，摂食障害などを適宜取り上げ，誰もが罹り患しうること，若年で発症する疾患が多いこと，適切な対処により回復し生活の質の向上が可能である。

　□アルコール，薬物などの物質への依存症に加えて，ギャンブル等への過剰な参加は習慣化すると嗜癖行動になる危険性があり，日常生活にも悪影響を及ぼす。

疾患名	症状
⏱️ うつ病	気分が沈み，憂鬱な状態が続く。不安や焦りが生じ，意欲が低下する。不眠・過眠，体重減少等も起きる。
⏱️ 統合失調症	幻聴や妄想が生じる。感情表現の幅が狭くなったり，自発的な行動が減り，引きこもったりする。
⏱️ 不安症	動悸，発汗，震え，息苦しさ等の発作が起き，不安や発作が起きると困るような場所を避ける（パニック症）。

● リラクセーションの方法（腹式呼吸法）

　□背筋を伸ばし下腹部に手を当て，体の力を抜いたまま，口からゆっくり息を吐く。下腹部の力を緩め，鼻から自然に息を吸う。

欲求と適応機制

ここが出る！ ▶▶

・欲求にはさまざまなものがあるが，マズローの欲求階層説を押さえよう。5つの欲求を低次から高次へと並べ替えさせる問題が多い。

・欲求不満に対処するための適応機制には，どういったものがあるか。具体的事例を提示して，どれにあたるかを判別させる問題が頻出。

1 欲求

ありとあらゆる行為の源泉は，**欲求**である。

●欲求の大分類

□【 **生理的欲求** 】…食欲や性欲など，身体的生理的必要を満たすための欲求。人間のみならず，全ての動物が備えている。

□【 **心理的欲求** 】…地位欲や権力欲など，人間的・社会的な欲求。

●具体例

上記の2大分類をもう少し掘り下げてみよう。

□生理的欲求	食欲，睡眠欲，排泄欲，**性欲**など	
□心理的欲求	自我欲求	独立欲求，愛情欲求，**承認欲求**など
	社会的欲求	所属欲求，共同欲求，賞賛欲求など

●マズローの欲求階層説

低次から高次へと積み上げた，マズローの欲求階層説は有名である。

⏱□【 **生理的欲求** 】…生存のため，最低限満たさねばならない欲求。

□【 **安全欲求** 】…外からの脅威に脅かされずに，安全に生活したいという欲求。

□【 **愛情欲求** 】…集団に属し，他者から愛情を得たいという欲求。

⏱□【 **尊厳欲求** 】…他者から認められたい，尊敬されたいという欲求。

⏱□【 **自己実現欲求** 】…創造的な活動をしたい，自己成長を遂げたいという欲求。最も高次の欲求である。

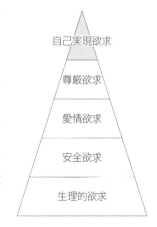

2 適応機制

欲求が満たされない場合，**適応機制**によって一応の満足が図られる。

● 概念

□【 適応機制 】…欲求不満の状態に陥った際，情緒の安定や平衡を得るために無意識的に作動する心理的メカニズム。

● 種類

□【 抑圧 】…自分を傷つける不快な体験や，望ましくない衝動を意識化させないようにする機制。

□【 同一視 】…尊敬する人物と自分を同一視したり，目標とする状況に自分が到達したと思い込んだりすることで，欲求の充足を図ろうとする機制。

□【 退行 】…成熟の初期の水準に，人格や行動傾向が逆戻りすること。通常，このような退行を経ることで，成熟が進んだ段階での高い欲求水準は引き下げられるので，欲求不満や不安が軽減される。

□【 逃避 】…適応困難な状況を回避したり拒否したりすることで，自己を守ろうとする心理機制。

□【 置き換え 】…ある特定の対象に喚起された感情が，別の対象に向け変えられること。**補償**ともいう。

⏱□【 昇華 】…性的欲求や攻撃欲求のような社会的に承認されにくい欲求（エネルギー）を，社会的に評価される別の対象に向けることで，一応の充足感を得ようとするもの。最も健全な防衛機制。

⏱□【 合理化 】…それなりの理屈（言い訳）をつけて，自分の行動や失敗を正当化すること。

□【 投影 】…自分が持っている欠点や望ましくない感情を，自分のものと認めず，他人が持っていると考えること。

3 欲求の阻害

以下の2つの用語を知っておこう。

□【 葛藤 】…2つ以上の相反する要求や態度などがもとで，対立や抗争が生じること。

□【 フラストレーション 】…何らかの障害により欲求が満たされない状態の結果，心の緊張と混乱が生じること。欲求不満と訳される。

● 保健（安全な社会生活）

交通安全

頻出度
C

ここが出る！▶▶

- 交通事故は，被害者・加害者双方の人生を狂わせる。加害者には重い責任が課せられる。その3つを知っておこう。
- 法改正により，自転車の違反にも「青切符」が切られることになった。信号無視や一時不停止といった行為も対象となる。

1 交通事故

● 2023年の交通事故の発生状況

□交通事故死者数，重傷者数ともに増加。

□状態別死者数は全年齢，65歳以上ともに「歩行中」が最多。

● 要因

□【 主体要因 】…当事者の意識や行動（規則遵守意識など）。

□【 車両要因 】…ブレーキ（制動能力）の限界など。

□【 環境要因 】…道路や天候の状況など。

● 加害者の責任

□【 民事上の責任 】…被害者への損害賠償責任。

□【 刑事上の責任 】…刑法上の自動車過失運転致死傷罪，危険運転致死傷罪など。罰金や懲役刑が科せられる。

□【 行政上の責任 】…運転免許の停止・取り消しなど。

● 保険

□すべての自動車には，自動車損害賠償責任保険（自賠責保険）への加入が義務づけられている。対人（物）賠償保険など，任意の保険もある。

● 基本法規

□基本法規として，交通安全対策基本法（1970年制定），道路交通法（1960年制定），および道路運送車両法（1951年制定）がある。

□運転中の携帯電話の使用，カーナビやテレビの注視は禁止。

□2020年の道路交通法改正により，あおり運転への罰則を創設。

□事業者は，アルコール検知器を用いて，運転者の酒気帯びの有無を確認しなければならない。

□【 危険運転致傷罪 】…悪質・危険な運転の結果，人身事故を起こした場合に適用される罪命。

●各種の取組

1985年	前席の**シートベルト**着用義務化
1999年	運転中の携帯電話使用，カーナビやテレビの注視禁止
2000年	乳幼児（6歳未満）に**チャイルドシート**装着義務化
⏱ 2008年	後部座席，シートベルト着用義務化
⏱ 2009年	75歳以上の高齢者に認知機能検査導入

2 自動車の安全対策

●自動車の停止距離と内輪差

⏱□【 空走距離 】…ブレーキを踏んでから，ブレーキが効き始めるまでの距離。

⏱□【 制動距離 】…ブレーキが効き始めてから止まるまでの距離。おおよそ，速度の2乗に比例する。

□停止距離＝空走距離＋制動距離となる。時速60kmの自動車の停止距離の目安は44m。車は急に止まれない。

□【 内輪差 】…後輪は前輪よりもカーブの内側を通る。

●自動車の安全性向上

□自動車の安全性向上は，①**アクティブセーフティ**（予防安全）と，②**パッシブセーフティ**（衝突安全）に分かれる。以下は例である。

①	自動ブレーキ，車間距離警報システム，電子制御制動力配分システム（EBD）付ABS❶
②	**エアバッグ**，**衝撃吸収ボンネット**，後席3点式シートベルト，衝撃吸収ボディ，**プリテンショナー付シートベルト**

3 自転車の交通ルール

□自転車安全利用五則は，①**車道**が原則，**左側**を通行（歩道は例外，歩行者を優先）／②交差点では信号と**一時停止**を守って，安全確認／③夜間は**ライト**を点灯／④**飲酒運転**は禁止／⑤**ヘルメット**を着用。

□自転車で危険行為を繰り返した者は，**自転車運転者講習**を受講。

⏱□自転車の交通違反に反則金を納めさせる，「**青切符**」の制度を導入。対象は16歳以上で，113の違反行為（信号無視，一時不停止等）が対象。

⋯⋯⋯⋯⋯⋯⋯⋯⋯⋯⋯⋯⋯⋯⋯⋯⋯⋯⋯⋯⋯⋯⋯⋯⋯⋯⋯⋯⋯⋯⋯⋯⋯⋯⋯⋯⋯

❶ABSは，アンチロックブレーキシステムである。

保健

交通安全

● 保健（安全な社会生活）
応急手当

頻出度 **A**

ここが出る！ ▶▶
- ・心肺蘇生法のチャート図がよく出る。人工呼吸，胸骨圧迫などのキーワードや，実施する回数の数字などが空欄にされることが多い。
- ・熱中症への関心が高まっている。熱中症の4類型と，応急処置の方法を覚えよう。

1 応急手当

●基本事項

□応急手当には，救命，悪化防止，苦痛軽減，の意義がある。

□【 救命措置 】…心臓や呼吸が止まった人の命を救うために，居合わせた人が行う緊急の処置の総称。

●カーラーの救命曲線

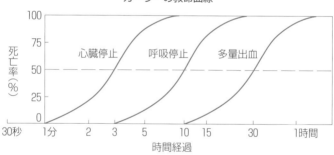

カーラーの救命曲線

□心臓停止後約3分，呼吸停止後約10分，多量出血後約30分で，死亡する確率（死亡率）が50％に到達する。迅速な応急手当が重要！

□初動対応は，安全の確認，反応の確認，呼吸の観察，である。

2 心肺蘇生法

●概念と手順

□【 心肺蘇生法 】…心肺停止などの状態になった場合，呼吸や血液循環の働きを人工的に保つことで回復を図ること。

□手順は以下（日本蘇生協議会「JRC蘇生ガイドライン2015」）。

　①安全を確認する。

②反応がない場合，119番通報・AEDを依頼する。

③呼吸を確認する。呼吸の確認に10秒以上はかけない。

④普段通りの呼吸がない場合，胸骨圧迫を開始する。人工呼吸の技術があれば，胸骨圧迫30回と人工呼吸2回を繰り返す。

⑤AEDを装着し，必要な場合は電気ショックを行う。

⑥胸骨圧迫から再開する。

● 用語解説

□【 人工呼吸 】…呼吸が停止した人の口に，救助者の息を吹き込むこと。息を1秒ほど吹き込み，胸が上がるのを確認。

⏱□【 胸骨圧迫 】…胸部を繰り返し圧迫して，人工的に心臓内の血液を送り出すこと。1分間に約100〜120回のテンポで行う。胸が5cm沈むようにする。強く，速く，絶え間なく行う。

□胸骨圧迫で送り出せる血液量は，通常の3分の1ほどだが，これでも脳の障害は防げる。

⏱□【 AED 】…電気ショックを与え，心臓の正常な拍動を取り戻させる機器。自動体外式除細動器という。

□突然の心停止は，心臓が細かく震える心室細動で起きることが多い。AEDで心室細動を除くことを除細動という。

● 救命の連鎖

□【 救命の連鎖 】…心肺停止の傷病者を救うために必要な行動。4つの輪が素早くつながることで効果を発揮する。

⏱□①心停止の予防，②早期認識と通報，③一次救命処置，④二次救命措置と心拍再開後の集中治療，の4つである。

● 異物の除去

□【 腹部突き上げ法 】…腹部の上方を圧迫するように突き上げる。負傷者の意識がある場合に限り行う。ハイムリック法ともいう。

□【 背部叩打法 】…手の付け根で背中を数回強く叩く。乳児の場合，この方法を用いる。

3 日常的なけがに対する応急手当

● 止血法

□【 直接圧迫止血 】…傷口の上をガーゼなどで強く圧迫する。包帯をきつめに巻くことでも，圧迫による止血効果が得られる。

□【 間接圧迫止血 】…傷口より心臓に近い動脈を，手や指で圧迫する。血液の流れを遮断して止血する方法である。

● 主なけがに対する応急手当

□捻挫	・冷湿布などを貼って，動かさないように**固定**する。 ・固定した上から氷のうなどで冷やし，安静にする。
□突き指	・できるだけ早く患部を**冷やす**。ひっぱってはいけない。 ・絆創膏，ないしは冷湿布＆包帯で固定する。
□打撲	・できるだけ早く冷やし，包帯で固定する。 ・傷があるときは，ガーゼと包帯をし，その上から冷やす。
□骨折	・皮膚に損傷のないもの（**非開放性骨折**）の場合，副木をあてて固定する。 ・切れた皮膚から骨が出ている**開放性骨折**の場合，傷にガーゼをし，傷に触れないように固定する。

● RICEの原則

原語	和訳	説明
□Rest	安静	患部をそっとしておく。
□Ice	冷却	患部を冷やす。内出血や炎症を防ぐ。
□Compression	圧迫	患部を圧迫する。出血と腫れを防ぐ。
□Elevation	挙上	患部を心臓より高くする。内出血を防ぐ。

---

4 熱中症

　独立行政法人・日本スポーツ振興センターの「熱中症を予防しよう」（2019年3月）を読んでみよう。

● 熱中症の4類型

□【 熱失神 】…炎天下にじっとしていたり，立ち上がったりした時，運動後などに起こる。皮膚血管の拡張と下肢への血液貯留のために血圧が低下，脳血流が減少して起こるもので，めまいや失神（一過性の意識障害）などの症状がみられる。

□【 熱けいれん 】…大量の発汗があり，水のみを補給した場合に血液の塩分濃度が低下して起こるもので，筋の興奮性が亢進して，四肢や腹筋のけいれんと筋肉痛が起こる。

□【 熱疲労 】…脱水によるもので，全身倦怠感，脱力感，めまい，吐き気，嘔吐，頭痛などの症状が起こる。体温の上昇は顕著ではない。

□【 熱射病 】…体温調節が破綻して起こり，高体温と意識障害が特徴である。意識障害は，周囲の状況が分からなくなる状態から昏睡ま

で，程度は様々である。

●重症度の分類

	主な症状	4類型との対応
Ⅰ度（軽症）	めまい，立ち眩み	熱失神，熱けいれん
Ⅱ度（中等症）	嘔吐，頭痛	熱疲労
Ⅲ度（重症）	意識障害	熱射病

●救急処置

熱失神	足を高くして寝かせると通常はすぐに回復する。
熱けいれん	生理食塩水（0.9%）など濃いめの食塩水の補給や点滴により通常は回復する。
熱疲労	0.2%食塩水，スポーツドリンクなどで水分，塩分を補給することにより通常は回復する。嘔吐などにより水が飲めない場合には，点滴などの医療処置が必要。
熱射病	救急車を要請し，速やかに冷却処置を開始する。

5 熱中症の予防

炎天下での「スポ根指導」は命に関わる。

●熱中症予防運動指針

⏱□**WBGT**とは，暑さ指数のことである。気温，湿度，日射，風の4要素を取り入れている。

	WBGT	湿球温度	乾球温度
運動は原則中止	31℃以上	27℃以上	35℃以上
厳重警戒	28℃以上	24℃以上	31℃以上
警戒	25℃以上	21℃以上	28℃以上
注意	21℃以上	18℃以上	24℃以上
ほぼ安全	21℃未満	18℃未満	24℃未満

□【 熱中症警戒アラート 】…危険が予想される日の前日，ないしは当日の早朝に発表される情報。

●熱中症予防の原則

□環境条件を把握し，それに応じた運動，水分補給を行う。

□暑さに徐々に慣らしていく。

□個人の条件を考慮する。

□服装に気を付ける。

□具合が悪くなった場合には早めに運動を中止し，必要な処置をする。

● **保健（安全な社会生活）**
学校体育での事故防止

頻出度 **B**

ここが出る！ ▶▶

・学校体育では，事故がしばしば生じる。どういう状況で多いかを知っておこう。

・生徒が頭を強く打った場合，どういう対応をすべきか。意識が回復したからといって油断はできない。

---

1 体育活動中の災害発生件数

2021年度の中学校のデータである。日本スポーツ振興センター「学校の管理下の災害」（2023年版）を参照。

● **実態データ**

場合	「課外指導」中に最も多く発生している。「課外指導」のほとんどは「体育的部活動」によるものである。
場所	「体育館・屋内運動場」，「運動場・校庭」に多く発生している。次いで「運動場，競技場」，「道路」，「教室」，「体育館（学校外）」が多い。
部位	「手・手指部」が最も多く，次いで「足関節」，「膝部」，「足・足指部」が多くなっている。
種目	球技中のけがが全体の7割以上を占める。「バスケットボール」，「サッカー・フットサル」，「バレーボール」，「野球（含軟式）」の順で多い。
時間帯	「10〜11時」，「11〜12時」に多く発生している。次いで，「16〜17時」，「17〜18時」の発生が多い。

● **重要概念**

□重大な事故・災害の背後には，同様の原因による29件の軽微な事故と，300件の潜在的な事故，いわゆるヒヤリ・ハットが発生している。（ハインリッヒの法則）

□【　正常性バイアス　】…これまでの経験等に基づいて，たとえ身の危険が迫っていても，自分に都合よく状況をとらえようとする心の働き。災害時の逃げ遅れにもつながる。

2 頭頸部外傷の事故防止

日本スポーツ振興センター「スポーツ事故防止ハンドブック・解説編」（2020年）において，対応の10か条が説明されている。

●体育活動における基本的注意事項

□発達段階や技能・体力の程度に応じて，指導計画や活動計画を定める。

□体調が悪いときには，無理をしない，させない。

□健康観察を十分に行う。

□施設・設備・用具等について安全点検を行い，正しく使用する。

●頭頚部外傷を受けた(疑いのある)児童生徒に対する注意事項

□意識障害は脳損傷の程度を示す重要な症状であり，意識状態を見極めて，対応することが重要である。

⏱□頭部を打っていないからといって安心はできない。意識が回復したからといって安心はできない。

□頚髄・頚椎損傷が疑われた場合は動かさないで救急車を要請する。

□練習，試合への復帰は慎重に。

●その他，日頃からの心がけ

□救急に対する体制を整備し，充実する。

□安全教育や組織活動を充実し教職員や生徒が事故の発生要因や発生メカニズムなどを正確に把握し，適切に対応できるようにする。

3 災害共済給付

日本スポーツ振興センター「学校安全Web」の解説を参照。

□運営に要する経費は国，学校の設置者及び保護者(同意確認後)の三者で負担する。

□給付の対象は，学校の管理下で生じた負傷，疾病，障害，死亡。

⏱□負傷と疾病は，療養に要する費用が5000円以上のもので，障害はその程度により１～14級に区分される。

□学校管理下となる場合は，以下の６つである。

> ア) 学校が編成した教育課程に基づく授業を受けている場合。
>
> イ) 学校の教育計画に基づく課外指導を受けている場合。
>
> ウ) 休憩時間に学校にある場合，その他校長の指示又は承認に基づいて学校にある場合。
>
> エ) 通常の経路及び方法により通学する場合。
>
> オ) 学校外で授業等が行われるとき，その場所，集合・解散場所と住居・寄宿舎との間の合理的な経路，方法による往復中。
>
> カ) 学校の寄宿舎にあるとき。

ここが出る！ ▶▶
- スキャモンの発達曲線の図は頻出。曲線を提示して，型の名称を答えさせる問題がよく出る。
- 読者諸君は，思春期のただ中にある中高生を相手にすることになる。思春期における心身の変化について，詳しく知っておこう。

1 身体の諸器官の発達

諸器官の発達の様相を描いた，スキャモンの発達曲線は有名だ。

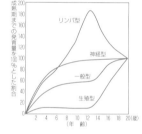

スキャモンの発達曲線

□【 **一般型** 】…骨や筋肉など，第一次性徴期と第二次性徴期にかけて急激に発達するタイプ。

□【 **神経型** 】…脳やせき髄など，生後に急激に発達し，その後はゆるやかな発達を遂げるタイプ。

□【 **生殖型** 】…思春期ごろから急激に発達するタイプであり，睾丸や卵巣などの生殖器官の発達の型がこれに相当する。

□【 **リンパ型** 】…胸腺やリンパ節など，免疫機能に関わる組織の発達タイプ。10代の前半に大きなピークを迎えた後，成人の水準に近づいていく。

2 体の発育・発達

発育は大きくなること，発達は動きが高まることをいう。持久的な運動を継続すると，呼吸器や循環器の働きが高まる。

● 発育急進期

□【 **発育急進期** 】…身長や体重などが急に増える時期。スキャモンの発達曲線（上記）の一般型を参照。

□発育急進期は 2 回あり， 2 回目は思春期にある。

□一般に，男子より女子で早く始まる。

● 呼吸器の発育・発達

□【 **呼吸** 】…酸素を取り込み，不要な二酸化炭素を外に出すこと。

□【　呼吸器　】…鼻，のど，気管支，肺など。

□【　ガス交換　】…肺に取り入れられた酸素を，肺の中の肺胞で，血液中の二酸化炭素と交換すること。

⏱ □成長につれ，呼吸数は減少する。肺の発達により，1回の呼吸で取り込める空気の量(肺活量)が増えるためである。

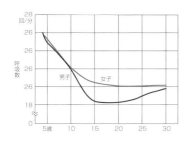

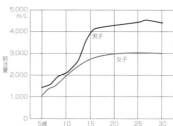

●循環器の発育・発達

□【　血液循環　】…血液によって，全身に酸素や栄養素を送り，二酸化炭素や老廃物を送り返すこと。

□【　循環器　】…心臓，動脈，静脈，毛細血管など。

□酸素を多く含んだ血液は，肺静脈で肺から心臓に送られ，大動脈で心臓から全身に行く。

□二酸化炭素や老廃物を含んだ血液は，大静脈で全身から心臓に送られ，肺動脈で心臓から肺に送られる。

⏱ □心拍数は成長とともに減少する。心臓の発達により，一度に心臓から送り出せる血液の量(拍出量)が増えるためである。

●ホルモン

□体の各器官の発育を促すホルモンは，内分泌腺でつくられる。

3　思春期の心と性

　中高生の心身は大きく変わる。「心」と「性」に焦点を当ててみよう。性的マイノリティについての理解も深めよう。

●心の発達

□心は，知的機能，情意機能，社会性等の働きが関わり合って成り立っている。思春期では，これらの働きが発達する。

●生殖器の発達

🕐□下垂体から性腺刺激ホルモンが分泌し，生殖器が発達する。

男子	・精巣が発達し，男性ホルモンを分泌。 ・精巣で精子が作られ，**射精**が起きるようになる。 ・射精とは，尿道から**精液**を放出することをいう。 ・初めての射精のことを精通という。時期には個人差がある。
女子	・卵巣が発達し，女性ホルモンを分泌。 ・卵巣の卵子が一定間隔で成熟し，成熟した卵子が外に出される（排卵）。 ・厚くなった子宮内膜が血液とともに剥がれ落ち，体の外に出される（月経）。初めての月経を初経という。 ・初経を迎えて数年間は，排卵が起きない場合や起きても不規則な場合がある。卵巣や子宮の発達が十分でないため。 ・やがて排卵と月経がリズムをもつようになり，**性周期**が安定する。性周期は**基礎体温**の変化で分かる。 ・排卵があると基礎体温が落ち，その後黄体ホルモンの影響で基礎体温が上がり，また基礎体温が下がり**月経**が始まる。 ・性機能が成熟すると，**高温期**と**低温期**が周期的に繰り返される。

●生殖器の図

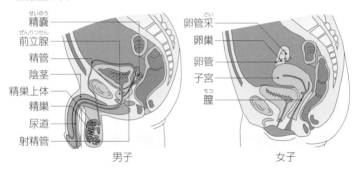

精嚢（せいのう）
前立腺（ぜんりつせん）
精管
陰茎
精巣上体
精巣
尿道
射精管
男子

卵管采（さい）
卵巣
卵管
子宮
膣（ちつ）
女子

●精子と卵子

□精子は長さ約0.06ミリで，受精能力は射精後およそ3日まで。

□卵子は直径約0.1ミリで，受精能力は排卵後約1日。

●用語

□【　セクシュアル・ハラスメント　】…他人を不快にさせる性的な言動。

🕐□【　ドメスティック・バイオレンス　】…配偶者や恋人といったパートナーによる暴力。**DV**と略される。

192

□【 ストーカー行為 】…無理に交際を迫ったり，付きまとったりする
こと。**ストーカー規制法**で規制・処罰の対象とされている。

□【 SOGI 】…性的指向(好きになる性)，性自認(心の性)のこと。

□【 LGBTQ 】…性的マイノリティの総称。レズビアン，ゲイ，バイセ
クシュアル，トランスジェンダー，クィア，クエスチョニングのこと。

4 妊娠・出産

●妊娠・出産

□【 受精卵 】…卵子と精子が結合したもの。

□【 着床 】…子宮内膜に受精卵が付着して胎盤ができ始めること。こ
の段階で**妊娠が成立**。排卵が起きなくなり，月経が止まる。

□胎児の成長に必要な酸素や栄養などは，胎盤やへその緒を通じて母体
から送られる。

□出産が近づくと，子宮の周期的な収縮により陣痛が始まる。

⏱□通常，ほぼ妊娠満40週で出産を迎える。妊娠週数は，最終月経開始日
を起点に数える。

⏱□【 マタニティーブルー 】…出産直後，母親の気分が落ち込んだり，
不安になったりすること。

●母子保健

□妊娠が判明したら，役所に妊娠届を出し，母子健康手帳を受け取る。

□その後，定期的に健康診査や保健指導を受ける。

●避妊法

□①コンドーム(精子を遮断)，②ペッサリー(同)，③基礎体温法(性周
期を利用)，④殺精子剤(精子を殺す)，⑤IUD(子宮内に器具を装置)，
⑥低用量ピル(排卵を抑制)，など。

□低用量ピルは，28日を1周期として21日間服用し，7日間服用を休止。

□【 緊急避妊薬 】…避妊の失敗や性暴力による，望まない妊娠を防ぐ
ための手段。

●家族計画・中絶

□【 家族計画 】…出産の時期や人数を考えること。

□【 人工妊娠中絶 】…手術によって胎児を母体外に出すこと。

⏱□人工妊娠中絶は，やむを得ない理由がある場合，妊娠満22週未満まで
の間に行う。(**母体保護法**)

ここが出る! ▶▶

・住みよい高齢社会を築く上でのキーワード(ノーマライゼーション,バリアフリーなど)の概念を覚えよう。
・超高齢社会に突入したわが国では,それに見合った各種の制度が構築されている。介護保険,医療保険制度の概要を押さえよう。

1 加齢による心身の変化

●心身の変化

□身体機能では,体力や運動能力などが低下する。精神機能では,記憶力が低下したり,柔軟な思考ができなくなったりする。

□高血圧症,糖尿病,脳血管障害,認知症などの病的老化も起きる。

●疾病

⏱□【 **骨粗しょう症** 】…骨に含まれるカルシウムが少なくなって,骨が弱り,折れやすくなること。

□【 **認知症** 】…慢性的な知的能力の低下現象。ぼけや物忘れなどが伴う。脳血管系の病気とアルツハイマー病がある。

2 高齢社会の到来

●高齢化の進展

□今の日本では,総人口の4人に1人が65歳以上の高齢者で,6人に1人が75歳以上の後期高齢者。

⏱□老齢人口(65歳以上)の比率が7%超の社会を**高齢化社会**,14%超の社会を**高齢社会**,21%超の社会を**超高齢社会**という。

●住みよい高齢社会をめざして

⏱□【 **ノーマライゼーション** 】…年齢や障害の有無に関係なく,すべての人間が社会の一員として社会活動に参加し,自立して生活することのできる社会をめざすこと。

□【 **バリアフリー** 】…高齢者・障害者等が社会生活していく上での物理的,心理的な障害を除去すること。

⏱□【 **ユニバーサル・ヘルス・カバレッジ** 】…全ての人が適切な予防,治療,リハビリなどの保健医療サービスを,必要なときに支払い可能

な費用で受けられること。

● **法律**

□老人福祉法（1963年制定），介護保険法（1997年制定）がある。

⏱□【　**介護保険**　】…要介護状態となった被保険者に，各種の介護サービスを提供。**満40歳以上**の者が被保険者となる。住み慣れた地域で自立して生活できる，地域包括ケアシステムも目指されている。

● **リハビリテーション**

□【　**リハビリテーション**　】…疾病や外傷の後遺症を持つ者に対し，指導・訓練を施すことで，機能回復や社会復帰を図ること。

□リハビリテーションは，①医学的，②職業的，③社会的，④教育的，の4つの領域に分かれる。

□リハビリテーションには，理学療法士，作業療法士，社会福祉士などの専門職が携わる。

3　保健・医療制度

● **日本国憲法第25条**

□すべて国民は，健康で文化的な最低限度の生活を営む権利を有する。

□国は，すべての生活部面について，社会福祉，社会保障及び公衆衛生の向上及び増進に努めなければならない。

● **保健行政**

⏱□保健行政は，①一般保健行政，②環境行政，③産業保健行政，および④学校保健行政に分かれる。

□保健センターなどの場で，健康診断，健康相談，健康教育といった保健サービスが提供されている。

● **医療保険**

□わが国では，1961年に国民皆保険体制が実現した。

□医療保険は，勤労者が加入する被用者保険と，自営業者が加入する国民健康保険に大別される。

● **医療機関の利用**

⏱□【　**インフォームド・コンセント**　】…患者にさまざまな情報を提供し，同意を得たうえで，医療行為にあたること。

⏱□【　**セカンド・オピニオン**　】…よりよい医療行為を受けるために，別の医療関係者の意見も聴取すること。

ここが出る！ ▶▶
・オフィスでのパソコン作業（VDT作業）に起因する職業病として，頸肩腕障害というものがある。漢字で書けるようにしよう。
・学校の教室を快適に保つため，どのような公的基準が定められているか。ICTの利用に当たって，児童生徒の健康への配慮も要る。

1 労働災害と職業病

労働災害は，労働が原因で起こる災害の総称である。

● 労働災害

□労働災害の要因は，**作業環境**（働く場）と，**作業形態**（作業量，姿勢）に関わるものに分かれる。

□作業環境や作業形態を改善する，**安全管理**や**健康管理**が重要となる。

□【　**労働安全衛生マネジメントシステム**　】…連続的・継続的な安全衛生管理のこと。「計画－実施－評価－改善」というサイクルを踏む。

● 主な職業病の例

□タイピスト，VDT作業	頸肩腕障害，VDT障害❶
□バス運転手，保育士，清掃作業員	腰痛
□石綿，トンネルなどの粉じん作業	じん肺
□建設作業員	アスベストによる中皮腫

□【　**業務上疾病**　】…労働基準法によって，補償の対象となる疾病。

● VDT作業中の注意点

□ア）目と画面の距離は40cm以上あける，イ）机やいすを整理し楽な姿勢をとる，ウ）直射日光が当たらないようにする，エ）軽い体操やストレッチで体をほぐす，オ）50分作業したら10分は休憩する。

2 働く人の健康づくり

● 健康状態の把握

□労働者の健康管理のため，事業者は定期的に**健康診断**を実施しなければならない（労働安全衛生法）。

----

❶パソコン画面などの視覚表示端末（Visual Display Terminal）を見ながら作業することで，目が疲れ，首が痛むなどの症状が出ること。

□害が及ぶ可能性のある仕事(じん肺作業など)の場合，**特殊健康診断**も実施される。

□労働者が**50人以上**の事業所では，毎年１回，**ストレスチェック**を行わなければならない(労働安全衛生法)。

● **THPの実践**

□THP(トータル・ヘルス・プロモーション)が行われている。

□産業医による**健康測定**の結果に基づいて，運動指導，保健指導，**メンタルヘルスケア**，栄養指導が行われる。

● **法律**

労働基準法	1947年施行	労働条件の最低基準を定める。
労働安全衛生法	1972年施行	労災や職業病への対処を規定。
男女雇用機会均等法	1986年施行	昇進などでの女性差別禁止。

3 職場の衛生管理

● **総論**

□身体の**適応能力**を超えた環境は，健康に影響を及ぼし得る。

□【　至適範囲　】…快適で能率のよい生活を送るための温度，湿度や明るさの範囲。

□室内の**二酸化炭素**は，人体の呼吸作用や物質の燃焼によって増える。定期的な**換気**で，室内の**二酸化炭素**の濃度を衛生的に管理できる。

□**一酸化炭素**は物質の不完全燃焼で発生し，体内に入ると，酸素と赤血球中のヘモグロビンの結合を妨げる。その結果，**一酸化炭素**中毒となる。

● **学校環境衛生基準**

□教室等の温度は**18℃以上28℃以下**，湿度は**30%以上80%以下**，照度の下限値は**300ルクス**，黒板の照度は**500ルクス以上**が望ましい。

□教室等の二酸化炭素濃度は**1500ppm以下**が望ましく，一酸化炭素濃度は **6 ppm以下**とする。

□コンピュータを使用する教室等の机上の照度は，**500〜1000ルクス**程度が望ましい。

● **ICT活用に当たっての児童生徒の目の健康などに関する配慮事項**

□目と端末の画面との距離を**30cm以上**離す。30分に１回は，20秒以上，画面から目を離して，遠くを見るなどして目を休める。

□就寝**1時間前**からはICT機器の利用を控える。

環境と健康

ここが出る! ▶▶

- 大気や水質を汚染する主な有害物質を覚えよう。身体に引き起こす症状や化学式と，物質の名称を結びつけさせる問題が多い。
- 循環型社会については，よく問われる。3つのRの取組を知ろう。プラゴミ削減も，この中に含まれる。

1 大気汚染・水質汚濁・土壌汚染

● **大気汚染**

□1968年に，大気汚染防止法が制定されている。主な大気汚染物質は以下。

物質名	化学式	健康への影響
□一酸化炭素	CO	血液の酸素運搬能力を低める。
□炭化水素	HC	発がん物質あり。肺がんなど。
□硫黄酸化物	SO_x	気管支炎，気管支ぜんそくなど。
□窒素酸化物	NO_x	肺胞を刺激する。肺気腫など。
□浮遊粒子状物質	略称はSPM。	肺線維症，肺がんなど。
□光化学オキシダント		目を刺激。呼吸困難，手足のしびれなど。

□これらは，石油などの化石燃料を燃やすことで発生する。工場の排煙や自動車の排気ガスに含まれる。

□光化学オキシダントは，大気中の物質と太陽光の化学反応で生じる。これが集まってできた煙霧のことを光化学スモッグという。

● **水質汚濁**

□生活排水の有機物が処理されないまま流されると，河川などで富栄養化が起こり，アオコや赤潮が発生する。

□1970年に，水質汚濁防止法が制定されている。主な水質汚濁物質は以下。

物質名	主な発生源	健康への影響
□シアン	金山，メッキ工場	人体にとって猛毒
□メチル水銀	アセチレン製造工場	手足の麻痺
□有機リン	農薬，化学製品	けいれん，頭痛
□PCB	電気器具，変圧器	皮膚，粘膜の障害
□カドミウム	電池，鉛鉱	腎臓の障害，たんぱく尿
□六価クロム	メッキ，なめし革	嘔吐，皮膚炎
□ヒ素	鉱石，塗料	嘔吐，腰痛，下痢
□トリクロロエチレン	溶剤，塗料	発がん性

●土壌汚染

□2002年に，**土壌汚染対策法**が制定されている。

□汚染された土壌で育った**農作物**を介して，有害物質が人体に入り込むことがある。

2 環境汚染の広がり

●四大公害

名称	発生時期	地域	有害物質
□イタイイタイ病	1910年代	富山県神通川流域	**カドミウム**
□水俣病	1950年代	熊本県水俣湾	**メチル水銀**
□四日市ぜんそく	1960年代初頭	三重県四日市市	二酸化硫黄
□新潟水俣病	1960年代半ば	新潟県阿賀野川流域	メチル水銀

●新たな環境汚染

□【 ダイオキシン 】…猛毒。発がん性や催奇形性が強い。焼却施設などから排出される。

□【 シックハウス症候群 】…家屋の建材や家具に含まれる化学物質（ホルムアルデヒドなど）によって，めまいや吐き気などを感じること。

□【 内分泌かく乱物質 】…生体内に取り込まれた場合に，正常なホルモン作用に影響を与える外因性の物質。（環境省）

●環境汚染を防ぐ取組

□環境汚染を防ぐには，①汚染物質を出さない，②出る場合は**排出基準**を設ける，③適切な**処理**をしてから排出する，の3つが基本となる。

□【 排出基準 】…工場等の排出施設の有害物質の最大許容量ないしは最大濃度を定めたもの。法的拘束力を持つ。

□【 予防原則 】…環境を汚染する恐れのあるものの使用を制限するなど，予防的な対策を行うこと。

3 環境問題

□【 酸性雨 】…酸性度の高い雨滴。pH5.6以下の降水をいう。樹木を枯れさせる。硫黄酸化物などの化学反応により生成される。

□【 オゾン層の破壊 】…フロンガスにより，オゾン層が破壊され，紫外線が増加する。皮膚がんの増加など，生物の健康に影響。

□【 地球温暖化 】…化石燃料の大量消費により，地表の温度が上昇す

ること。温室効果ガス(CO_2)などの増加による。**感染症を媒介する生**物や病原体の分布の変化をもたらす。

現象	原因	主な被害
□酸性雨	硫黄酸化物，窒素酸化物	森林の枯死，魚の死滅
□オゾン層破壊	フロンガス	紫外線増加，生物に影響
□地球温暖化	二酸化炭素，フロンガス	海面の上昇

4 環境問題への対策

●国際的な動向

1971年	ラムサール条約採択。国際的に重要な湿地を保全。
1972年	ストックホルムで国連人間環境会議開催。人間環境宣言採択。OECDが，公害防止の国際ルールとして，**PPPの原則**を採択。世界遺産条約採択。各国が国内の遺産を登録。
1973年	ワシントン条約採択。絶滅の恐れのある野生動物を保護。
1974年	OECDが，**環境アセスメント**の立法化を勧告。
1987年	国連が「**持続可能な開発**」の考え方を提唱。
1992年	リオデジャネイロで**地球サミット**開催。アジェンダ21採択。
1997年	温暖化防止京都会議開催。温室効果ガス5％削減を目指す(日本の削減目標は6％)。
2002年	ヨハネスブルクで**環境開発サミット**開催。
2015年	パリ協定採択。産業革命前からの平均気温の上昇を2度未満に抑える。持続可能な開発目標(**SDGs**)を採択。

●SDGs

□SDGsは，2030年に向けて全世界で達成を目指す，**持続可能な開発目標**をさす。17のゴールと169のターゲットで構成される。

□国内では「SDGsアクションプラン」が策定され，「誰の健康も取り残さない」という理念の下，**ユニバーサル・ヘルス・カバレッジ**を推進する。

□また2050年までに温室効果ガス排出を実質ゼロにする，**カーボンニュートラル**の実現を目指す。

●国内の動向

□公害対策基本法制定(1967年)→**環境庁設置**(1971年)→**環境基本法**制定(1993年)→環境庁が**環境省**に格上げ(2001年)。

●環境基本法

□環境基本法第10条第2項は，**6月5日**を「**環境の日**」と定めている。

□環境基本法第20条は，**環境影響評価**について定めている。

⏱□【 **環境アセスメント** 】…開発の際，環境に及ぶ影響の内容および程度を事前に評価・予測し，環境保全上必要な措置を検討すること。

5 廃棄物の処理と環境衛生

日本では，国民1人が1日に1kgほどのゴミを排出している。

●破棄物の区分

□廃棄物は，一般廃棄物と産業廃棄物に分かれる。前者は，**市町村**が処理の責任を負う。

□産業廃棄物は，それを排出した**事業者**が適正に処理しなければならない（廃棄物処理法）。

□産業廃棄物は，**汚泥，廃油，廃プラスチック**など，法で定められた20種類を指す。

●ごみの処理

⏱□ごみの約4分の3は焼却で処理される。**ダイオキシン**などの有害物質が大気中に放出される。

⏱□【 **堆肥化** 】…生ごみなどを発酵させ，有機肥料をつくること。

●水道の水

□【 **トリハロメタン** 】…水道の原水と塩素の反応によって生成される有害物質。発がん性が疑われる。

□下水処理は，微生物の分解を利用する**生物**的処理，固形物を分離する物理的処理，薬品によって浄化する**化学**的処理，によってなされる。

□下水道普及率は81.0%（2022年度末）。

●循環型社会

□【 **循環型社会** 】…天然資源の消費を減らし，環境負荷をできるだけ減らした社会。

⏱□循環型社会の考え方として，**リデュース**(Reduce)，**リユース**(Reuse)，**リサイクル**(Recycle)，の**3R**がある。

●自然災害

□【 **緊急地震速報** 】…気象庁が地震や震源を予測して公表する情報。

□【 **二次災害** 】…地震発生後に起こる地割れや液状化などの災害。

□【 **内水氾濫** 】…水量が排水施設の処理能力を超えてあふれ出すこと。

⏱□【 **ハザードマップ** 】…災害時の被害予測を示した地図。

環境と食品の保健

ここが出る! ▶▶

・食品の製造過程を管理するHACCPという手法が注目されている。危害分析重要管理点と訳される，この手法の意味を押さえよう。
・食の安全を保障するため，品質表示基準が定められ，保健機能食品というカテゴリーも設けられている。詳しく知ろう。

1 食品保健

近年，食の安全性への関心が飛躍的に高まっている。

● **食の安全性にかかわる課題**

□【 **食中毒** 】…食品中の細菌や化学物質などによって，健康障害が出ること。腸管出血性大腸菌O157などが有名。

□食中毒予防の3原則＝細菌を食品につけない，増やさない，殺す。

□【 **食品添加物** 】…食品の保存・調味などの目的で加えられる物質。厚生労働省が許可したもの以外の使用は不可。

● **法律など**

□食品衛生法（1947年制定），**食品安全基本法**（2003年制定）に依拠して，食の安全性に向けた各種の取組が実施されている。

□食品衛生法では，食品中の**放射性物質**の基準値を定めている。

□【 **食品衛生監視員** 】…食品工場や飲食店などを監視し，指導を行う。**検疫所**では，輸入食品に対する検疫を実施。

● **食品製造過程の管理**

□HACCPとは，**危害分析重要管理点**と訳される。以下の2つの要素からなる。農林水産省のホームページを参照。

HA（Hazard Analysis） **危害分析**（微生物，異物など）	食品の製造工程の危害要因について調査・分析する
CCP（Critical Control Point） **重要管理点**（殺菌工程など）	製造工程の段階で，特に重点的に管理すべきポイント

2 身近な取組

● **食品保健**

□食品には，原材料名，期限表示などの**品質表示基準**が定められている

（主に加工食品）。

□賞味期限は品質が保持される期限で，消費期限は衛生上の危害が生じ
ない期限。後者は，長期間の保存ができない食品に用いられる。

□また，遺伝子組み換え食品やアレルギー食品であることの表示など，
消費者にとっての情報を明示することになっている。

● 保健機能食品

□【 保健機能食品 】…特定保健用食品，栄養機能食品，機能性表示食
品の総称。

特定保健用食品	通称トクホ。国が人での安全性と効果を個別製品として審査し，消費者庁長官が保健機能（健康の維持・増進に役立つ効果等）の表示を許可した食品。
栄養機能食品	人での安全性と効果の科学的根拠が明らかとなっているビタミンやミネラルなどの栄養素について，その製品中の含有量が，国が定めた基準を満たしていれば既定の栄養機能が表示できる食品。
機能性表示食品	事業者の責任において，一定の科学的根拠に基づいた機能性を表示した食品。＊国の審査はない。

● 環境衛生

⏱□容器包装リサイクル法（1997年施行），家電リサイクル法（2001年施行）
による空き缶，家電品などのリサイクル推進。

□容器包装リサイクル法が対象とする「容器」「包装」の種類は，①ガラ
ス瓶，②PETボトル，③紙製容器包装，④プラスチック製容器包装，
⑤アルミ缶，⑥スチール缶，⑦紙パック，⑧段ボールである。①～④
は，企業にリサイクルする義務がある。

□環境保全に役立つ商品にはエコマークをつける。

3 食物アレルギー

□卵，乳，小麦，えび，かに，落花生，そばの7品目は使用の有無を表
示することが義務付けられている。

⏱□【 アナフィラキシー 】…アレルゲンの侵入により，生命に危機を与
え得る過剰反応。

□食物アレルギーのある生徒が，エピペンを携行している場合もある。

□食物アレルギーを有する児童生徒にも給食を提供。医師の診断によ
る，学校生活管理指導表の提出を必須とする。

保健の内容の取扱い（中学校）

頻出度 **A**

ここが出る！ ▶▶

・中学校の保健の内容を取り上げるに際しての留意事項を知っておこう。各内容を取り扱う学年，薬物の授業で取り上げる薬物の種類などに関する正誤判定問題がよく出る。

・「後天性免疫不全症候群」などは，漢字で書けるようにすること。

1 中学校の保健の内容

中学校の保健の内容の大枠（テーマ62）をおさらいしよう。

□(1)健康な生活と疾病の予防

　ア）健康の成り立ちと**疾病の発生要因**，イ）**生活習慣と健康**，ウ）**生活習慣病**などの予防，エ）喫煙，飲酒，**薬物乱用**と健康，オ）**感染症の予防**，カ）健康を守る**社会の取組**

□(2)心身の機能の発達と心の健康

　ア）**身体機能の発達**，イ）**生殖**に関わる機能の成熟，ウ）**精神機能**の発達と自己形成，エ）欲求や**ストレス**への対処と心の健康

□(3)傷害の防止

　ア）**交通事故**や自然災害などによる傷害の発生要因，イ）交通事故などによる**傷害の防止**，ウ）**自然災害**による傷害の防止，エ）**応急手当**

□(4)健康と環境

　ア）身体の環境に対する**適応能力・至適範囲**，イ）**飲料水**や空気の衛生的管理，ウ）生活に伴う**廃棄物**の衛生的管理

2 中学校の保健の内容の取扱い

上記の(1)～(4)ごとに区切って，留意事項を見ていこう。(2)の(イ)の取扱いについては，多くの議論がある。

●取り扱う学年

□(1)の(ア)及び(イ)は第1学年，(1)の(ウ)及び(エ)は第2学年，(1)の(オ)及び(カ)は第3学年で取り扱うものとする。内容の(2)は第1学年，(3)は第2学年，(4)は第3学年で取り扱うものとする。

●(1)について

□内容の(1)については，健康の保持増進と**疾病**の予防に加えて，疾病の**回復**についても取り扱うものとする。

□内容の(1)の(イ)及び(ウ)については，**食育**の観点も踏まえつつ健康的な**生活習慣**の形成に結び付くように配慮するとともに，必要に応じて，**コンピュータ**などの情報機器の使用と健康との関わりについて取り扱うことにも配慮するものとする。また，**がん**についても取り扱うものとする。

□内容の(1)の(エ)については，心身への**急性影響**及び依存性について取り扱うこと。また，薬物は，**覚醒剤**や大麻等を取り扱うものとする。

□内容の(1)の(オ)については，**後天性免疫不全症候群**（エイズ）及び性感染症についても取り扱うものとする。

●(2)について

□内容の(2)の(ア)については，呼吸器，**循環器**を中心に取り扱うものとする。

⏱ □内容の(2)の(イ)については，妊娠や出産が可能となるような成熟が始まるという観点から，受精・**妊娠**を取り扱うものとし，**妊娠の経過は取り扱わない**ものとする。また，身体の機能の成熟とともに，**性衝動**が生じたり，異性への関心が高まったりすることなどから，異性の尊重，情報への適切な対処や行動の**選択**が必要となることについて取り扱うものとする。

□内容の(2)の(エ)については，体育分野の内容の「Ａ体つくり運動」の(1)のアの指導❶との関連を図って指導するものとする。

●(3)について

□内容の(3)の(エ)については，包帯法，**止血法**など傷害時の応急手当も取り扱い，**実習**を行うものとする。また，効果的な指導を行うため，水泳など体育分野の内容との関連を図るものとする。

●(4)について

□内容の(4)については，地域の実態に即して**公害**と健康との関係を取り扱うことにも配慮するものとする。また，**生態系**については，取り扱わないものとする。

❶24ページを参照のこと。

保健

保健の内容の取扱い（中学校）

保健の内容の取扱い（高等学校） 頻出度 B

ここが出る！ ▶▶

・高等学校の保健の各内容項目では，具体的にどのような内容（現象）を取り上げることとされているか。食育，大脳，思春期，廃棄物など，重要なキーワードが数多く出てくる。

・ロールプレイングなどの用語の意味をよく理解しておくこと。

---

1 高等学校の保健の内容

まずは，高等学校の保健の内容（大枠）を復習しよう。

□(1)**現代社会と健康**

　ア）健康の考え方，イ）現代の感染症とその予防，ウ）生活習慣病などの予防と回復，エ）喫煙，飲酒，薬物乱用と健康，オ）精神疾患の予防と回復

□(2)**安全な社会生活**

　ア）安全な社会づくり，イ）応急手当

□(3)**生涯を通じる健康**

　ア）生涯の各段階における健康，イ）労働と健康

□(4)**健康を支える環境づくり**

　ア）環境と健康，イ）食品と健康，ウ）保健・医療制度及び地域の保健・医療機関，エ）様々な保健活動や社会的対策，オ）健康に関する環境づくりと社会参加

---

2 高等学校の保健の内容の取扱い

上記の(1)〜(4)ごとに区切って，留意事項をみていこう。

● **全般事項**

□指導に際しては，自他の健康やそれを支える環境づくりに関心をもてるようにし，健康に関する課題を解決する学習活動を取り入れるなどの指導方法の工夫を行うものとする。

□ディスカッション，**ブレインストーミング❶**，ロールプレイング（役割演技法），心肺蘇生法などの実習，実験，課題学習などを取り入れ

❶オズボーンが考案した，新しいアイディアを得るための討議法である。

ること。

● (1)について

□ (1)の(ウ)及び(4)の(イ)については，食育の観点を踏まえつつ，健康的な生活習慣の形成に結び付くよう配慮するものとする。

□ (1)の(ウ)については，がんについても取り扱うものとする。

□ (1)の(ウ)及び(4)の(ウ)については，健康とスポーツの関連について取り扱うものとする。

⏱ □ (1)の(エ)については，疾病との関連，社会への影響などについて総合的に取り扱い，薬物については，麻薬，覚醒剤，大麻等を取り扱うものとする。

□ (1)の(オ)については，大脳の機能，神経系及び内分泌系の機能について必要に応じ関連付けて扱う程度とする。また，「体育」の「A体つくり運動」における体ほぐしの運動との関連を図るよう配慮するものとする。

● (2)について

□ (2)の(ア)については，犯罪や自然災害などによる傷害の防止についても，必要に応関連付けて扱うよう配慮するものとする。また，交通安全については，二輪車や自動車を中心に取り上げるものとする。

⏱ □ (2)の(イ)については，実習を行うものとし，呼吸器系及び循環器系の機能については，必要に応じ関連付けて扱う程度とする。また，効果的な指導を行うため，「体育」の「D水泳」などとの関連を図るよう配慮するものとする。

● (3)について

□ (3)の(ア)については，思春期と健康，結婚生活と健康及び加齢と健康を取り扱うものとする。

⏱ □ 生殖に関する機能については，必要に応じ関連付けて扱う程度とする。責任感を涵養することや異性を尊重する態度が必要であること，及び性に関する情報等への適切な対処についても扱うよう配慮するものとする。

● (4)について

□ (4)の(ア)については，廃棄物の処理と健康についても触れるものとする。

□1　中学校の保健の内容項目の一つとして，「生涯を通じる健康」というものがある。　　　　　　　　　　→P.169

□2　生後1年未満の死亡率のことを乳児死亡率という。　　　　　　　　　→P.170

□3　最近の死因統計によると，がん，心疾患，および糖尿病といった3大生活習慣病が全体の5割を占めている。　　→P.170

□4　1986年のILO総会で採択されたオタワ憲章では，ヘルスプロモーションという考え方が提起されている。　　→P.170

□5　草の根レベルでの保健活動を行う主体として，非政府組織があるが，この組織の略称はNPOである。　　　　→P.171

□6　日本人の3人に1人は生涯のうちにがんにかかると言われる。　　　　→P.172

□7　WHOが定める世界禁煙デーは，5月31日である。　　　　　　　　　→P.173

□8　薬物のうち，シンナーやトルエンは，有機溶剤として括られる。　　　→P.174

□9　薬物を乱用していた時と同じような幻覚や妄想が突如として現れる症状を，PTSDという。　　　　　　　→P.174

□10　一般用医薬品は薬局等で購入できるが，リスクの高い第3類は，自由に手に取れない場所におかれる。　　→P.175

□11　感染症法によると，エボラ出血熱は，第一類の感染症に分類されている。→P.176

□12　ヒト免疫不全ウイルス（HIV）は，身体の接触によって感染することがあり得る。　　　　　　　　　　→P.177

●Answer●

1　×
高等学校の保健の内容項目である。

2　○

3　×
糖尿病ではなく，脳血管疾患である。

4　×
ILOではなく，WHOである。

5　×
NPOではなく，NGOである。

6　×
2人に1人である。

7　○

8　○

9　×
PTSDではなく，フラッシュバックである。

10　×
第3類ではなく，第1類である。

11　○

12　×
身体接触によって感染することはない。

□13　カルシウムの代謝を促進するパラソルモンは，上皮小体から分泌される。

→P.178

□14　マズローの欲求階層説によると，最も高次の欲求は，他者から認められたいという，尊厳欲求である。　→P.180

□15　適応機制のうち，言い訳をつけて自分の行動や失敗を正当化するものを「投影」という。　→P.181

□16　2008年，自動車の前席に座る者に，シートベルトの着用が義務づけられた。

→P.183

□17　カーラーの救命曲線によると，心臓停止後およそ10分間で，死亡する確率が50％に達する。　→P.184

□18　AEDは，心臓に電気ショックを与え，心臓に正常な拍動を取り戻させる機器である。　→P.185

□19　暑さ指数（WBGT）が28℃以上は厳重警戒，31℃以上になったら運動は原則中止とする。　→P.187

□20　成人に達するまでの諸器官の発達の様相を曲線で描いたものとして，サイモンズの発達曲線が有名である。　→P.190

□21　人工妊娠中絶は，やむを得ない理由がある場合，妊娠満22週未満までの間に行う。

→P.193

□22　介護保険の被保険者は，満50歳以上の者である。　→P.195

□23　健康増進法第25条は，「健康で文化的な最低限度の生活を営む権利」（生存権）について規定している。　→P.195

13　○

14　×
　　尊厳欲求ではなく，自己実現欲求である。

15　×
　　投影ではなく，合理化である。

16　×
　　前席ではなく，後部座席である。

17　×
　　10分間ではなく，3分間である。

18　○

19　○

20　×
　　サイモンズではなく，スキャモンである。

21　○

22　×
　　満40歳以上である。

23　×
　　健康増進法ではなく，日本国憲法である。

□24 労働基準法は，労働条件の最低基準や職業病への対処に関する事項を定めている。 →P.197

24 ○

□25 大気汚染物質の一酸化炭素は，肺胞を刺激し，肺気腫などの疾病をもたらす。 →P.198

25 ×
一酸化炭素ではなく，窒素酸化物である。

□26 富山県神通川流域で発生したイタイイタイ病の原因となった，主な有害物質はメチル水銀である。 →P.199

26 ×
メチル水銀ではなく，カドミウムである。

□27 樹木を枯れさせる酸性雨は，pH値が5.6以下の降水のことである。 →P.199

27 ○

□28 1997年に開催された温暖化防止京都会議では，温室効果ガス5％削減を目指す方針が示された。 →P.200

28 ○

□29 環境基本法が定める「環境の日」は，7月5日である。 →P.201

29 ×
6月5日である。

□30 循環型社会を実現するためには，Reduce，Reuse，Returnの3Rを実践することが求められる。 →P.201

30 ×
Returnではなく，Recycleである。

□31 食品製造過程の管理の方法であるHACCPは，危害分析重要管理点と訳される。 →P.202

31 ○

□32 機能性表示食品は，国が人での安全性と効果を審査し，保健機能の表示を許可した食品である。 →P.203

32 ×
特定保健用食品である。

□33 中学校の保健では，「心身の機能の発達と心の健康」という内容項目は，第2学年において取扱う。 →P.204

33 ×
第2学年ではなく，第1学年である。

□34 ディベートとは，オズボーンが考案した，新しいアイディアを得るための討議法である。 →P.206

34 ×
ディベートではなく，ブレインストーミングである。

□35 高等学校の保健で，「応急手当」を扱う際は，実習を行う。 →P.207

35 ○

実力確認問題

1 次の文章の空欄に当てはまる数字を答えよ。　　　→テーマ1，2

○　中学校の保健分野の授業時数は，3学年間で（　①　）単位時間程度配当する。

○　中学校の体育分野の「A体つくり運動」については，各学年で（　②　）単位時間以上を配当する。

○　中学校の体育分野の「H体育理論」については，各学年で（　③　）単位時間以上を配当する。

○　高等学校の科目「体育」の標準単位数は7〜（　④　）単位であり，科目「保健」の標準単位数は（　⑤　）単位である。

○　高等学校では，（　⑥　）単位時間の授業を1単位として計算することを標準とする。

○　高等学校の科目「体育」の「H体育理論」に対する授業時数については，各年次で（　⑦　）単位時間以上を配当する。

2 次の問いに答えよ。

(1)以下の文章は，中学校新学習指導要領総則からの抜粋である。空欄に適語を入れよ。　　　→テーマ3

> 学校における体育・健康に関する指導を，生徒の（　①　）の段階を考慮して，学校の教育活動全体を通じて適切に行うことにより，健康で安全な生活と豊かな（　②　）の実現を目指した教育の充実に努めること。特に，学校における食育の推進並びに（　③　）の向上に関する指導，安全に関する指導及び心身の健康の保持増進に関する指導については，保健体育科，技術・家庭科及び（　④　）の時間はもとより，各教科，（　⑤　）及び総合的な学習の時間などにおいてもそれぞれの特質に応じて適切に行うよう努めること。

(2)中学校や高等学校では，部活動の指導が教員の過重労働の原因となっている。そこで，部活動の指導や大会引率等を単独で行える職員が設けられることになった。この職員の名称を答えよ。

解答

1 ①48　②7　③3　④8　⑤2　⑥35　⑦6　**2** (1)①発達　②スポーツライフ　③体力　④特別活動　⑤道徳科　(2)部活動指導員

3 高等学校の科目「体育」の内容に関する以下の問いに答えよ。

→テーマ5，61

(1)以下の表は，高等学校の科目「体育」を構成する8つの領域と，各領域の内容項目をまとめたものである。空欄に適語を入れよ。

【A体つくり運動】 ア　（　①　）の運動 イ　実生活に生かす運動の計画	【E球技】 ア　ゴール型 イ　ネット型 ウ　（　⑤　）型
【B器械運動】 ア　マット運動 イ　鉄棒運動 ウ　（　②　）運動 エ　跳び箱運動	【F武道】 ア　（　⑥　） イ　剣道
【C陸上競技】 ア　短距離走・リレー・長距離走・ハードル走 イ　走り幅跳び・走り高跳び・三段跳び ウ　砲丸投げ・やり投げ	【Gダンス】 ア　創作ダンス イ　（　⑦　） ウ　現代的なリズムのダンス
【D水泳】 ア　（　③　） イ　平泳ぎ ウ　背泳ぎ エ　（　④　） オ　複数の泳法又はリレー	【H体育理論】 ア　スポーツの文化的特性や現代のスポーツの発展 イ　運動やスポーツの効果的な学習の仕方 ウ　豊かな（　⑧　）の設計の仕方

(2)各領域の内容の取扱いについて述べた以下の文章のうち，誤っているものはどれか。1つ選び，番号で答えよ。

①入学年次では，B，C，D，Gの中から1つ以上選択する。

②Aの「体つくり運動」は，全ての年次において必修である。

③入学年次では，EとFから1つ以上選択する。

④入学年次の次の年次以降では，B，C，D，E，F，Gから3つ以上選択する。

解答

3 (1)①体ほぐし　②平均台　③クロール　④バタフライ　⑤ベースボール　⑥柔道　⑦フォークダンス　⑧スポーツライフ　(2)④（⇒3つ以上ではなく，2つ以上である）

4 器械運動に関する以下の問いに答えよ。　　　　→テーマ8，11

(1)以下の表は，高等学校学習指導要領解説において示されている，マット運動の技の分類枠を整理したものである。空欄に適語を入れよ。

系	技群	グループ
（　①　）系	接転技群	（　③　）グループ
		後転グループ
	ほん転技群	倒立回転・倒立回転跳びグループ
		（　④　）グループ
巧技系	（　②　）技群	片足平均立ちグループ
		（　⑤　）グループ

(2)跳び箱運動の技は，2つの系に大別される。一つは回転系である。もう一つを答えよ。

5 陸上競技のトラック種目に関する以下の問いに答えよ。

→テーマ13，14，15

(1)以下の文章の空欄に当てはまる数字を答えよ。

　ア）中学校3年生の短距離走の距離の目安は，100～（　①　）mである。

　イ）リレーのテークオーバーゾーンの長さは，（　②　）mである。

　ウ）高等学校の長距離走の距離の目安は，1000～（　③　）mである。

　エ）中学校1・2年生のハードル走に用いるハードルの台数は，5～（　④　）台とされる。

　オ）ハードル走の指導に当たっては，3～（　⑤　）歩のリズムが取りやすいようにハードルの距離を設定する。

(2)以下の図は，クラウチングスタートの3種類を示したものである。エロンゲーティッドスタートに該当するものはどれか。番号で答えよ。

① 　　　② 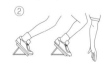　　　③

解答

4 (1)①回転　②平均立ち　③前転　④はねおき　⑤倒立　(2)切り返し系　**5** (1)①200　②30　③3000　④8　⑤5　(2)③

6 陸上競技のフィールド種目に関する以下の問いに答えよ。

→テーマ16，17，18

(1)走り幅跳びの計測距離として正しいのは，①〜③のうちのどれか。

着地跡

踏切板

(2)走り高跳びにおいて，無効試技とならないのは，以下のうちどれか。記号で答えよ。

ア　跳躍後に，バーをバー止めから落とす。

イ　両足で踏み切る。

ウ　バーを越える前に，体がバーの垂直面よりも先の地面に触れる。

エ　跳躍後，風でバーが落ちる。

(3)次の表は，走り高跳びの試技結果である。1位と3位の競技者は，A〜Eのどれか。

	130cm	135cm	140cm	145cm	150cm	155cm	160cm
A	―	○	○	×○	×○	××○	×××
B	○	×○	×○	××○	×○	××○	×××
C	○	○	○	○	××○	×○	×××
D	―	○	×○	×○	×○	×○	×××
E	―	―	×○	×○	○	×××	

○：成功　　×：無効試技　　―：パス

解答

6 (1)① (2)エ (3)1位：C，3位：A（⇒E以外，全員155cmに成功している。この高さの試技数が少ないのはCとDだが，この高さまでの無効試技の総数はCが少ないので，Cが1位で，Dが2位となる。AとBは155cmの無効試技は2回だが，無効試技の総数はAのほうが少ない。よって，Aが3位，Bが4位となる）

7 水泳に関する以下の問いに答えよ。

→テーマ22，23，24，26，27，28

(1)以下の文章は，クロールと平泳ぎの泳法について述べたものである。空欄に適語を入れよ。

クロール	全身をまっすぐ伸ばして水面に伏し浮き，（ ① ）を左右交互に上下させ，（ ② ）は左右交互に水をかいて水面上を前方に戻し，顔を（ ③ ）に上げて呼吸しながら泳ぐ。
平泳ぎ	全身をまっすぐ伸ばして水面に伏し浮き，（ ④ ）のひらを下に向けて胸の前からそろえて前方に出し，（ ⑤ ）を描くように左右の水をかき，脚の動きは足の裏で水をとらえ左右後方に水を押し挟み，顔を（ ⑥ ）に上げて呼吸をしながら泳ぐ。

(2)以下の文章は，水泳プールの水質に関する公的な基準を抜粋したものである。空欄に当てはまる数字を答えよ。

○ 遊離残留塩素は，（ ① ）mg/ℓ以上であること。

○ ph値は，（ ② ）以上8.6以下であること。

(3)「バディシステム」とは何か。簡潔に述べよ。

(4)以下の文章のうち，誤っているものはどれか。全て選び，記号で答えよ。

ア 背泳ぎでは，スタートやターンの後，壁から15m以内に頭を水面上に出す。

イ 水泳の準備体操では，心臓に遠い部分の運動から始める。

ウ 「スタート」については，事故防止の観点から，中学校と高等学校では，水中からのスタートのみを取り扱う。

エ リカバリーとは，上下に浮き沈みする呼吸の練習法である。

オ 着衣のままでの水泳では，長い間浮くことの練習が大切であることを認識させるようにする。

解答

7 (1)①脚 ②腕 ③横 ④両手 ⑤円 ⑥前 (2)①0.4 ②5.8 (3)2人1組の組をつくらせ，互いに安全を確かめさせる人員点呼の方法のこと。 (4)ウ，エ（⇒高等学校では，高い位置からのスタートも取り上げられる）

8 球技の内容について述べた以下の文章のうち，正しいものはどれか。番号で答えよ。　　　　　　　　　　　　　　　　　→テーマ29

①中学校の第3学年では，ゴール型，ネット型，ベースボール型の中から1つを選択して履修できるようにする。

②中学校のゴール型で取り上げる種目として，学習指導要領解説では，ラグビーが例示されている。

③高等学校の入学年次では，ゴール型，ネット型，ベースボール型の中から2つを選択して履修できるようにする。

④高等学校の球技において，学習指導要領に示された型及び運動種目とは別のものを取り上げる際は，原則として，学習指導要領に示された型及び運動種目に替えて履修させることとする。

9 バスケットボールに関する以下の問いに答えよ。　→テーマ33，42

⑴以下の文章に当てはまる技能の名称を片仮名で答えよ。

ア　スナップを効かし，ボールに回転を与えるパス。

イ　片足を軸にして体の向きを回転させる。

ウ　相手のパスを遮り，自分らのボールにする。

エ　ゴール近辺の長身者にボールを集める。

⑵身体接触による反則や非スポーツマン的行為以外の反則を総称して何というか。

⑶以下の図は，バスケットボールのコートの図である。空欄に当てはまる語句や数字を答えよ。

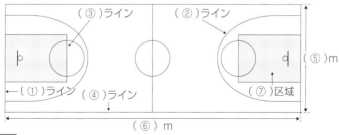

解答

8 ③　**9** ⑴ア：チェストパス　イ：ピボット　ウ：インターセプト　エ：ポストプレー
⑵バイオレーション　⑶①エンド　②スリーポイント　③フリースロー　④サイド　⑤
15　⑥28　⑦制限

10 球技のルールについて述べた以下の文章について，正しいものには
○をつけ，誤っているものについては，誤りの箇所を指摘し，正しい
語句に直せ。　　　　　　　　　　　　→テーマ34，35，36，37，39

①ハンドボールでは，ボールを持って3歩以上歩くと，オーバーステ
　ップという反則になる。

②サッカーで，ゴールキーパーが6秒を超えてボールを保持した場
　合，相手チームに直接フリーキックが与えられる。

③ラグビーの1チームのプレーヤーの人数は，15名以内とされる。

④バレーボールのラリーポイント制において，24対24の接戦になった
　場合，いずれかが3点リードするまでセットを継続する。

⑤テニスのサービスは，サービスラインの後方から行う。

11 以下の問いに答えよ。　　　　　　　　　　　→テーマ33〜42

(1)バスケットボールを考案した人物の名前を答えよ。

(2)ハンドボールのコートのサイドラインの長さは何mか。

(3)サッカーにおいて，体（胸など）でボールを受け止め，コントロー
　ルする技能を何というか。

(4)国際サッカー連盟の略称を，アルファベット4字で答えよ。

(5)ラグビーにおいて，コンバージョンゴール（トライ後のゴール）は
　何点としてカウントされるか。

(6)バレーボールの守備専門のプレーヤーを何というか。

(7)卓球において，全力でボールを打つことを片仮名で何というか。

(8)テニスのダブルスで，1人がネット付近につき，もう1人がベース
　ライン付近につく陣取りのことを何というか。

(9)バドミントンにおいて，同プレーヤーが2回続けてシャトルを打つ
　違反行為のことを何というか。

(10)ソフトボールを日本に紹介した人物は誰か。

解答

10 ①3歩→4歩　②直接フリーキック→間接フリーキック　③○　④3点→2点　⑤サ
ービスライン→ベースライン　**11** (1)J.ネイスミス　(2)40m　(3)トラッピング　(4)FIFA
(5)2点　(6)リベロ　(7)スマッシュ　(8)雁行陣　(9)ドリブル　(10)大谷武一

12 柔道に関する以下の問いに答えよ。　　　　　　　　→テーマ44

(1)以下の技のうち，「中学校１・２年」で初めて取り扱うものにはＡ，「中学校３年」で初めて取り扱うものにはＢ，の記号をつけよ。中学校学習指導要領解説の例示に依拠するものとする。

①：けさ固め　　　②：大内刈り　　　③：背負い投げ

④：体落とし　　　⑤：上四方固め　　　⑥：膝車

(2)柔道のルールに関する以下の記述のうち，誤っているものはどれか。１つ選び，記号で答えよ。

ア　「指導」を３回受けることは，反則負けに相当する。

イ　河津がけで投げることは，反則負けに相当する。

ウ　「抑え込み」の宣告があってから20秒間，相手を抑え込んだとき，「一本」となる。

エ　「技あり」を２回取ることで，一本勝ちとなる。

オ　試合時間を過ぎた場合，指導の数が少ない側が勝ちとなる。

13 剣道に関する以下の問いに答えよ。　　　　　　　　→テーマ45

(1)剣道において，攻撃と防御の両方に最も適した構え方を何というか。

(2)剣道の足さばきで，右図のようなものを何というか。３文字で答えよ。

(3)剣道の試合は，何本勝負を原則とするか。

(4)以下の説明文に当てはまる用語を書け。

ア　打突後も油断せず，次の変化に即座に対応できるような身構えや心構えをとること。

イ　遠くの山を見るように，相手の構えの全体を見て，弱点を見破る。

ウ　攻めと守りが常に一致していること。

エ　相手の動きに惑わされず，必要な時に実力を発揮できる心。

解答

12 (1)①：Ａ　②：Ｂ　③：Ｂ　④：Ａ　⑤：Ｂ　⑥：Ａ　(2)オ（⇒「技あり」がある側が勝ちとなる）　**13** (1)中段の構え　(2)開き足　(3)３本勝負　(4)ア　残心　イ　遠山の目付　ウ　懸待一致　エ　不動心

14 以下の表は，新体力テストの重要事項を整理したものである。空欄に当てはまる語句や数字を入れよ。 →テーマ52

種目	実施回数	運動特性
（ ① ）	左右2回ずつ	力強さ
上体起こし	1回	ねばり強さ，力強さ
長座体前屈	（ ④ ）回	体の柔らかさ
（ ② ）	2回	すばやさ，タイミングの良さ
持久走	1回	ねばり強さ
20mシャトルラン	1回	（ ⑥ ）
50m走	1回	すばやさ，力強さ
立ち幅とび	（ ⑤ ）回	タイミングの良さ，力強さ
（ ③ ）	2回	タイミングの良さ，（ ⑦ ）

15 以下の文章のうち，正しいものはどれか。全て選び，番号で答えよ。
→テーマ53，55，56，58

①随意筋のうちの赤筋は，瞬発力があるので，短距離走に適する。

②筋収縮のうち，筋肉の長さの変化が伴わないものを等張性収縮という。

③筋力トレーニングのように，無呼吸で行う瞬発的な無酸素運動のことをエアロビクス運動という。

④器械運動，水泳，陸上競技などで求められる技能で，所定の動きを確実に実行する技能のことをクローズド・スキルという。

⑤技能の上達が止まっているとき，別の技能の練習や休息を挟むと，当該の技能が急に上達することをレミニッセンスという。

⑥「全国体力・運動能力，運動習慣等調査」の実技種目は，小学校は，握力，上体起こし，長座体前屈，反復横とび，20mシャトルラン，50m走，立ち幅とび，ハンドボール投げ，の8つである。

⑦5つの輪が連なったオリンピック・シンボルは，世界5大陸の友情と協力を意味する。一番左の色は青色である。

解答

14 ①：握力　②：反復横とび　③：ハンドボール投げ　④：2　⑤：2　⑥：ねばり強さ（動きを持続する能力）　⑦：力強さ　**15** ④，⑤，⑦

16 高等学校の科目「保健」に関する以下の問いに答えよ。→テーマ63

(1)以下の文章は，高等学校の科目「保健」の目標（一部）の抜粋である。空欄に適語を入れよ。

> 個人及び社会生活における健康・（ ① ）について理解を深めるとともに，（ ② ）を身に付けるようにする。

(2)以下の表は，高等学校の科目「保健」の内容項目を整理したものである。空欄に適語を入れよ。

1）現代社会と健康	ア	健康の考え方
	イ	現代の（ A ）とその予防
	ウ	（ B ）などの予防と回復
	エ	喫煙，飲酒，薬物乱用と健康
	オ	（ C ）の予防と回復
2）安全な社会生活	ア	安全な社会づくり
	イ	（ D ）
3）生涯を通じる健康	ア	生涯の各段階における健康
	イ	（ E ）と健康
4）健康を支える環境づくり	ア	（ F ）と健康
	イ	（ G ）と健康
	ウ	保健・医療制度及び地域の保健・医療機関
	エ	様々な（ H ）や社会的対策
	オ	健康に関する環境づくりと社会参加

17 マズローの欲求階層説では，欲求が5つに区分されている。低次の欲求から高次の欲求へと正しく並べ替えたものはどれか。→テーマ68

①生理的欲求→安全欲求→愛情欲求→尊厳欲求→自己実現欲求
②安全欲求→生理的欲求→愛情欲求→尊厳欲求→自己実現欲求
③生理的欲求→愛情欲求→安全欲求→尊厳欲求→自己実現欲求
④生理的欲求→安全欲求→愛情欲求→自己実現欲求→尊厳欲求
⑤愛情欲求→生理的欲求→安全欲求→尊厳欲求→自己実現欲求
⑥安全欲求→生理的欲求→愛情欲求→自己実現欲求→尊厳欲求

解答

16 (1)①安全　②技能　(2)A：感染症　B：生活習慣病　C：精神疾患　D：応急手当　E：労働　F：環境　G：食品　H：保健活動　**17** ①

18 Ⅰ群は主な内分泌器官，Ⅱ群はそこから分泌されるホルモン，Ⅲ群は当該ホルモンの主な作用，を記したものである。各群の事項を正しく結びつけたのは①～⑤のうちのどれか。　　　　　→テーマ67

Ⅰ群：内分泌器官	Ⅱ群：ホルモン	Ⅲ群：主な作用
ア　卵巣	A　エストロゲン	a　物質代謝の亢進
イ　上皮小体	B　パラソルモン	b　カルシウムの代謝を促進
ウ　膵臓	C　糖質コルチコイド	c　血糖値を下げる
エ　副腎	D　サイロキシン	d　ブドウ糖の新生を促す
オ　甲状腺	E　インスリン	e　子宮内膜を肥厚させる

①アーB－e，イーA－b，ウーE－d，エーC－c，オーD－a
②アーD－e，イーB－a，ウーA－c，エーC－d，オーE－b
③アーA－a，イーB－b，ウーE－c，エーD－d，オーC－e
④アーA－e，イーB－b，ウーE－c，エーC－d，オーD－a
⑤アーC－b，イーE－e，ウーB－c，エーA－d，オーD－a

19 以下の問いに答えよ。　　　　　　　　　　　　　→テーマ68，72

(1)右図は，身体の各部位の発達の様相を示した，発達曲線の図である。この図の考案者の名前を答えよ。

(2)曲線①～④の型の名称を答えよ。「＊＊型」というように答えること。

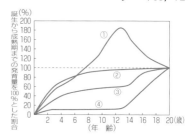

(3)以下の文章は，防衛機制の具体的な事例を示したものである。それぞれの名称を答えよ。

①父親に対する憎しみを抑圧していた子どもが，教師を憎む。

②攻撃欲求をスポーツに向けたりする。

③「エラーをしたのは，グローブが傷んでいたからだ」と思う。

④人気歌手のコスチュームを装着して，当人になりきる。

解答

18 ④　**19** (1)スキャモン　(2)①：リンパ型　②：神経型　③：一般型　④：生殖型　(3)①：置き換え　②：昇華　③：合理化　④：同一視

20 応急手当に関する以下の問いに答えよ。　　　　　　　→テーマ70

(1)カーラーの救命曲線によると，呼吸停止後およそ何分後に，死亡する確率が50％に到達するとされるか。

(2)心肺蘇生法に関する以下の記述のうち，正しいものはどれか。全て選び，番号で答えよ。

　①人工的に心臓内の血液を送り出す胸骨圧迫は，1分間に約100〜120回のテンポで行う。

　②AEDは，心臓に電気ショックを与え，心臓の正常な拍動を取り戻させる機器である。

　③異物を除去する方法のうち，手の付け根で背中を数回強くたたく方法のことをハイムリック法という。

(3)捻挫や打撲などに対する処置（安静，冷却，圧迫，拳上）の英文表記の頭文字をとると，何となるか。アルファベット4字で答えよ。

21 環境と健康に関する以下の問いに答えよ。　　　　　　→テーマ75

(1)肺胞を刺激し，肺気腫などをもたらす大気汚染物質の名称を答えよ。

(2)1950年代に発生した水俣病の原因となった，有害物質の名称を答えよ。

(3)環境問題に関する国際的な取組を示した以下の各事項を時代順に並べ替えた際，3番目にくるものはどれか。番号で答えよ。

　①国際連合が「持続可能な開発」の考え方を提唱した。

　②国連サミットで，SDGsが採択された。

　③ストックホルムの国連人間環境会議において，人間環境宣言が採択された。

　④温暖化防止京都会議において，温室効果ガス5％削減を目指すことが決定された。

　⑤OECDが，環境アセスメントの立法化を勧告した。

(4)開発の際，事前の環境影響評価について定めている法律の名称を答えよ。

解答

20 (1)およそ10分後　(2)①，②　(3)RICE　**21** (1)窒素酸化物　(2)メチル水銀　(3)①（⇒③→⑤→①→④→②となる）　(4)環境基本法

執筆者紹介

舞田　敏彦（まいた　としひこ）

教育社会学者。東京学芸大学大学院博士課程修了。教育学博士。

著　書　『47都道府県の子どもたち』『47都道府県の青年たち』『教育の使命と実態』（以上，武蔵野大学出版会），『データで読む 教育の論点』（晶文社）

●本書の内容に関するお問合せについて

　本書の内容に誤りと思われるところがありましたら，まずは小社ブックスサイト（jitsumu.hondana.jp）中の本書ページ内にある正誤表・訂正表をご確認ください。正誤表・訂正表がない場合や訂正表に該当箇所が掲載されていない場合は，書名，発行年月日，お客様の名前・連絡先，該当箇所のページ番号と具体的な誤りの内容・理由等をご記入のうえ，郵便，FAX，メールにてお問合せください。

　〒163-8671　東京都新宿区新宿1-1-12　実務教育出版　第2編集部問合せ窓口
　FAX：03-5369-2237　　E-mail：jitsumu_2hen@jitsumu.co.jp

【ご注意】

※電話でのお問合せは，一切受け付けておりません。

※内容の正誤以外のお問合せ（詳しい解説・受験指導のご要望等）には対応できません。

2026年度版　教員採用試験　中高保健体育らくらくマスター

2024年9月25日　初版第1刷発行　　　　　　　　　　〈検印省略〉

編　者　資格試験研究会
発行者　淺井 亨

発行所　株式会社　実務教育出版
　　　　〒163-8671　東京都新宿区新宿1-1-12
　　　　TEL 編集03-3355-1812　　販売 03-3355-1951
　　　　振替　00160-0-78270

組　版　明昌堂
印　刷　シナノ印刷
製　本　東京美術紙工